CAHIERS DU CENTRE JEAN BÉRARD, V

Publié par le Centre Jean Bérard
Unité de Recherche Archéologique n. 18
Centre National de la Recherche Scientifique
© Centre Jean Bérard - ISBN 2-903189-10-2

RECHERCHES SUR LES CULTES GRECS
ET L'OCCIDENT, 1

*Ouvrage financé entièrement
par la Direction Générale des
Relations Culturelles, Scientifiques
et Techniques du Ministère des
Affaires Etrangères*

RECHERCHES SUR LES CULTES GRECS ET L'OCCIDENT, 1

CAHIERS DU CENTRE JEAN BÉRARD, V
Institut Français de Naples
Naples, 1979

Diffusion des publications:

L'ERMA di Bretschneider Via Cassiodoro, 19 00193 Roma	G. Macchiaroli Via Carducci, 55 80121 Napoli	R. Habelt Am Buchenhang 1 5300 Bonn	Les Belles Lettres 95, bd Raspail 75006 Paris

SOMMAIRE

Questo primo quaderno di « Ricerche sui culti greci e l'Occidente », specialmente coloniale, raccoglie con l'introduzione allo studio del culto di Eracle in Sicilia di R. Martin, tre studî di componenti l'équipe che lavora presso la cattedra di Storia Greca e Romana dell'Istituto di storia e antichità dell'Università di Napoli Certe osservazioni di R. Martin (in Contribution à l'étude de la societé et de la colonisation eubéennes, Cahiers du Centre Jean Bérard, II, Naples, 1975, pp. 51-52) hanno suggerito di riprendere la serie di incontri che avevano dato luogo, presso il Centre Jean Bérard in Napoli, ai contributi italo-francesi sulla società e colonizzazione euboiche, mettendo a frutto le esperienze di lavoro che il gruppo napoletano va conducendo su alcuni culti greci e il loro rapporto con ambiti coloniali, e quelle che la Scuola di R. Martin, presso l'École Pratique des Hautes Études, IVᵉ Section, è andata a sua volta intraprendendo in un'analoga prospettiva.

Questi primi studî pubblicati vogliono appunto costituire preambolo ad un confronto e ad uno scambio di vedute che si profila promettente e che può portare ad altri nuovi contributi.

I due primi lavori di R. Martin e N. Valenza Mele convergono da punti di vista e ambiti differenti sulla figura dell'Eracle « dio », e vogliono porre le basi per un'analisi di questo culto in Grecia e nell'Occidente, siceliota ed italiota (che almeno in quest'ultimo, e a Cuma, recupera livelli particolari che ne sottolineano il rapporto con quello di Hera: cfr. N. Valenza Mele, Hera ed Apollo nelle colonie euboiche di Occidente, in MEFRA 89, 1977, pp. 493 ss., spec. 498 ss.). Del resto per la Sicilia stessa si possono approfondire i problemi relativi alla doppia personalità di Eracle, dio ed eroe, e studiarne il ruolo nei miti e culti delle città siceliote e loro metropoli nonché nel rapporto con il mondo non greco dell'isola, recuperando anche, non solo livelli molto antichi di ambiti metropolitani e coloniali — com'è il caso analogo per l'Eracle euboico e la Gigantomachia ambientata nella pianura cumana e in Calcidica — ma addirittura la realtà di un « pluralismo culturale eterogeneo », legato da una parte a tradizioni religiose precoloniali (le « origini » cretesi) e dall'altra agli apporti del mondo dei « barbari » (Fenici).

Gli altri due studî, pur non investendo ancora ambiti coloniali, ma ancora quelli della Grecia propria (l'Attica e l'Eubea), tendono anch'essi a stabilire livelli diacronici meno noti o inediti per i culti di Demetra e di Artemide, quello di L. Breglia Pulci Doria con la comparazione tra due ambiti metropolitani, l'ateniese e *l'eretriese, per un unico rituale e festa (le Tesmoforie), l'altro di Cl. Montepaone tra due serie di testimonianze sul mito di fondazione di un unico rituale e culto, quello del tempio di Artemide Munichia. Anche questi, come i precedenti, sfiorano elementi di eterogeneità culturale (elementi « eolici » in Eubea, e « sopravvivenze » teriomorfe nelle tradizioni etiologiche sul sacerdozio munichio), e convergono con i precedenti a proiettarsi sul contesto culturale, strutturale e sociale stratificato in cui si radica un culto o un rito, individuando livelli diversi, gentilizî e « pre-politici » o « politici » e cittadini, per i varî fenomeni religiosi studiati.*

I fenomeni di conservazione in area coloniale documentano, come ci ha insegnato in pagine esemplari il compianto Angelo Brelich (cfr. Kokalos, X-XI, 1964-65, pp. 34-54), proprio per la Sicilia, una religione greca ancora in piena formazione, per un'epoca in cui « i fattori salienti dell'amalgamazione di una coscienza religiosa greca », i culti panellenici di Delfi, Olimpia ed Eleusi, « non hanno ancora incominciato a svolgere la loro funzione storica ». L'analisi contemporanea di culti greci nelle metropoli e nelle colonie si spera conduca a recuperare fasi poco o meno conosciute di essi e insieme i fattori determinanti, nelle prime come nelle seconde, del loro svolgimento e trasformazione.

Queste ricerche (anche nei contributi che seguiranno, periodicamente, questo primo quaderno) continueranno a studiare i culti di Heracles, di Demetra e di Artemide, per ora, e si propongono di aggiungervi presto quello di Apollo, un Apollo tessalo-euboico, cicladico, egeo — come fu detto in altra occasione e quale già si affaccia, in taluno degli attuali contributi — non solo l'Apollo della tradizione delfica.

Gli estensori di questa prefazione sono grati al Centro Jean Bérard e alla sua direzione per l'attenzione amichevole, la sollecita cura e la generosità con cui han voluto accogliere questi primi frutti e quelli che verranno, di un lavoro loro e delle loro équipes, teso a soddisfare — sia pure in piccola parte — quell'« optimum ideale per le future ricerche » che il Brelich appunto identificava, come « il compito più immediato », or sono quindici anni, « nella più possibilmente precisa e dettagliata ricostruzione » del processo di formazione dei culti greci in rapporto alla loro diffusione e presenza vivente nell'Occidente coloniale.

ETTORE LEPORE, ROLAND MARTIN

Du simple inventaire des documents relatifs au culte d'Héraclès en Sicile se dégagent tout à la fois le sentiment de son rôle tout particulier et de la complexité de sa fonction, de son rituel et de ses origines.

La longue notice que lui consacre Diodore (IV, 39 et 80 sq.) constitue, par la diversité des notations, un bon point de départ à l'analyse.

D'emblée, le problème essentiel est posé par la constatation qu'en Sicile Héraclès est honoré à la fois comme dieu auquel on offre des sacrifices olympiens (Θύειν) et comme héros qui reçoit les holocaustes héroïques (ἐναγίζειν). Il est le vigoureux compagnon des premiers colons dans le Syracusain où il combat et soumet les chefs indigènes, mais où la violence est immédiatement suivie d'une oeuvre pacificatrice et bienfaisante; il parcourt les territoires soumis, introduit et installe les cultes et sanctuaires de Déméter et Coré avec leur cortège de bienfaits agraires. Son action se traduit par des alliances efficaces et durables. Le cas de Leucaspis, l'un de ces chefs soumis, dont l'effigie apparaît ensuite sur les monnayages de Syracuse, est particulièrement éloquent.

On le retrouve aux confins mêmes de la zone grecque, sur l'acropole de Sélinonte et dans le sanctuaire/frontière de Poggioreale, où une inscription archaïque atteste la présence de son sanctuaire. Il pénètre enfin en territoire « barbare », jusqu'à Erix, il introduit le culte d'Aphrodite, s'identifie au dieu phénicien Melkart et se trouve installé dans la plus forte des positions puniques.

L'épigraphie et l'iconographie confirment les observations de Diodore. A Sélinonte, il est cité au rang des grands dieux, dans l'inscription du temple G, parmi ceux qui ont exercé leur constant appui aux Sélinontins, avec Zeus, Héra, la Malophoros, etc. A Poggioreale, son sanctuaire se dresse aux limites des territoires des deux cités rivales, Sélinonte et Ségeste, et témoigne de l'importance de son appui, si l'on songe au rôle que les dieux jouent dans les rapports de ces cités, conforme à la tradition légendaire dont se réclament les Ségestains. En face de Ségeste qui avait accueilli les Troyens, chassés de leur cité et leur avait offert asile avant qu'ils ne poursuivent leur route vers Rome, les Sélinontins, apparentés aux Argiens, fondateurs de Mégara, ne pouvaient qu'accorder un culte de première importance à Héra, la première sans doute à s'installer dans la zone sacrée de Marinella, sur la colline orientale de Sélinonte. Et dans cette perspective Aphrodite, la protectrice des Troyens, apparaissait comme une rivale, malgré son assimilation à Astarté. Héraclès, ici comme dans le Syracusain, représentait le double aspect de toute politique coloniale: d'abord l'opération conquérante et la défense du territoire conquis, ensuite la pénétration et l'assimilation des populations indigènes ou rivales.

Ce double rôle explique sans doute la diffusion du culte d'Héraclès dans les cités grecques et indigènes de Sicile attestée par le monnayage de bronze du IV° siècle. On en dressera l'inventaire et il conviendra d'examiner chaque cas particulier en fonction de ces perspectives.

De même il conviendra de faire l'inventaire des sanctuaires d'Héraclès et d'étudier les structures et les édifices de ces lieux de culte pour en dégager tout élément susceptible de nous renseigner sur la nature du culte, sur le rituel et sur la personnalité du personnage, dieu ou héros. Un important travail est déjà réalisé en ce domaine dont les résultats pourront faire l'objet d'un exposé par l'auteur du mémoire.

A partir de cette documentation, il devient possible de formuler et d'approfondir, dans le cadre de l'histoire des villes grecques de Sicile, les problèmes relatifs à la double personnalité d'Héraclès, dieu et héros, aux origines de l'un et l'autre culte, à son rôle dans les croyances et les cultes grecs de Sicile, en essayant de préciser ses relations avec les autres divinités.

Et d'abord, en quoi consiste cette dualité? S'agit-il d'une innovation sicilienne? Et à qui en attribuer la paternité?

On ne peut mettre en doute l'aspect héroïque d'Héraclès en Sicile, bien illustré par les textes comme par l'iconographie. Les métopes de Sélinonte, comparées à celles de l'Héraion du Silaris, à Paestum, reprennent des thèmes identiques; le héros péloponnésien, fils d'Alcmène et de Zeus, accomplit quelques-uns de ses exploits en Occident; la géryonie et le rapt des troupeaux du Soleil se déroulent en pays occidentaux; on en reconnaît les traces laissées au sol, d'après le témoignage des textes anciens, et il y a incontestablement, quel qu'en soit l'auteur, une version occidentale de certains des exploits de notre héros. Comme dans la tradition hellénique, il utilise sa force pour débarrasser les humains de quelques monstres maléfiques. Il est le héros vigoureux, plein de force qui accroît la sécurité des routes, purifie de leurs miasmes les régions malsaines, assure la protection des cités. Il est, dans ses fonctions, un compagnon assidu et fidèle des colons grecs, et c'est sans doute sous les traits du héros traditionnel qu'il est adopté par de nombreuses cités au IV° siècle et qu'il accompagne la pénétration de l'hellénisme dans toute l'Italie méridionale. Les statuettes de bronze sont nombreuses qui attestent le caractère héroïque du personnage, présenté avec ses attributs normaux, symboles de sa force, la peau de lion et la massue. La zone d'extension de ce culte s'étend, en Italie, jusqu'aux confins du monde latin où il cède le pas à Arès, plus représentatif de la puissance militaire de Rome.

Sa nature divine et le culte d'Héraclès/dieu sont moins évidents, et la notice même de Diodore, révèle le caractère exceptionnel de cette autre face du personnage. D'après l'historien sicilien (IV, 39), les Athéniens seraient les premiers à rendre les honneurs divins à Héraclès et c'est à leur exemple que les autres grecs auraient accepté de placer Héraclès au rang des Olympiens. D'après une autre version que rapporte Arrien (*Anab.*, IV, 11, 7), « Héraclès lui-même n'a pas reçu des Hellènes d'honneurs divins de son vivant, ni même une fois mort, avant qu'un oracle du dieu de Delphes n'ait prescrit d'honorer Héraclès comme un dieu ». Et on pourrait trouver confirmation de cette intervention dans le témoignage de Pausanias (V, 4, 6) qui rapporte aussi à une intervention de l'oracle de Delphes la reprise des jeux à Olympie, par Iphitos, et l'instauration dans le grand sanctuaire panhellénique du culte divin d'Héraclès ('Ηρακλεῖ θύειν).

En réalité, dans l'un et l'autre cas, il s'agit de récupération tardive relevant d'une propagande intéressée; et aucune de ces traditions ne saurait expliquer la présence bien établie du culte divin d'Héraclès en Sicile, à une époque certainement antérieure aux prétentions des Athéniens et des Delphiens. Les Athéniens prennent à leur compte, comme ils l'ont fait en bien d'autres occasions, une tradition ancienne en Attique, enracinée à Marathon: « C'est chez les Marathoniens, les premiers, comme ils l'affirment eux-mêmes, qu'Héraclès fut considéré comme un dieu ». L'Héraclès/dieu de Marathon est apparenté, selon toutes les apparences, à l'Héraclès crétois, un Dactyle de l'Ida, comme celui d'Olympie et aussi de Sicyone, comme nous le verrons plus loin. Quant à l'oracle de Delphes sur la divinité d'Héraclès, il appartient à la série des oracles *a posteriori* qui, dans la politique hégémonique du sanctuaire delphique, consacrent des situations antérieures et des traditions beaucoup plus anciennes que l'oracle pythique; tels sont aussi de nombreux oracles relatifs à la colonisation.

Aucune de ces traditions ne peut apporter quelque lumière sur la présence du culte divin d'Héraclès en Sicile.

Deux autres directions de recherche doivent, en revanche, retenir notre attention, en rapprochant les faits et les traditions de Sicile des témoignages concernant d'autres exemples du même dualisme, Héraclès/dieu et Héraclès/héros, dans quelques cités grecques.

La première nous entraine vers la Crète et les survivances minoennes. On sait la force des traditions qui plaçaient en Sicile le tombeau de Minos aux confins des territoires de Sélinonte. Héraclea Minoa, fondée par les Sélinontins, en est un témoignage onomastique, et bien des thèmes d'origine crétoise, en particulier l'enlèvement d'Europe, appartiennent au répertoire iconographique sicilien. Or plusieurs des cultes d'Héraclès/dieu se rattachent à l'Héraclès Idéen, à la légende des Dactyles, associé à la naissance et au culte de Zeus sur l'Ida. On sait leur importance à Olympie même, dans le grand sanctuaire de Zeus. L'organisation des concours Olympiques, dans cette tradition, serait, en partie, l'oeuvre d'Hercule Idéen et des Dactyles (Diodore, V, 64, 6 et Strabon, VIII, 3, 30), (cf. R. Vallois, *REA*, 28, 1926, pp. 305-322). La rivalité des deux cultes, celui du fils d'Alcmène et celui d'Héraclès Idéen, est bien attestée dans le sanctuaire panhellénique. Dans le sanctuaire d'Amphiaraos, en Attique, une triade est particulièrement intéressante pour notre propos, puisqu'elle se retrouve dans l'inscription de Sélinonte, avec l'association de Héraclès-Zeus-Apollon pythien. Les trois cultes associés occupaient une partie du grand autel dont l'autre section était réservée à des cultes héroïques. Nous n'avons malheureusement aucun indice sur l'origine et la date de cette triade.

Mais à Sicyone où la même dualité se retrouve entre le dieu et le héros, l'origine crétoise est bien attestée. Rappelons le témoignage de Pausanias (II, 10, 7) sur la fondation du rite divin à côté de celui du rite héroïque, bien normal dans une cité voisine d'Argos: « On rapporte que Phaistos venu à Sicyone apprit que les Sicyoniens offraient à Héraclès des sacrifices héroïques (ἐναγίζοντας); il jugea bon de ne pas agir de même, mais de lui offrir des sacrifices comme à un dieu (ὡς θέῳ θύειν)». Or Phaistos est le héros éponyme de la ville crétoise bien célèbre de la côte méridionale de l'île (Paus., II, 6, 7) et son intervention à Sicyone se situe dans la longue tradition qui, de l'époque minoenne à l'époque archaïque, établit d'étroites relations entre la Crète et le Péloponnèse.

Ajoutons encore qu'en Béotie, à Mykalessos, l'Héraclès Idéen était connu comme parèdre, au service de Déméter (Paus., IX, 19, 5 et 27, 8), tandis qu'à Thespies il apparaît comme un dieu, avec un culte, dit le Périègète (IX, 27, 6) « plus ancien que celui du fils d'Amphitryon et adressé au Dactyle Idéen »; un relief hellénistique, avec dédicace, représente le couple Héraclès-Déméter, le dieu étant associé directement aux cultes primitifs de la végétation et de la fécondité, ce qui explique certains de ses exploits auprès des quarante-neuf filles de Thespios, son hôte, roi légendaire de Thespies (Paus., IX, 27, 6). La cinquantième qui avait refusé ses hommages fut condamnée à la virginité et à la prêtrise perpétuelle dans le temple d'Héraclès/dieu. On ne saurait oublier ces liens bien attestés, dans la tradition crétoise, entre Héraclès et Déméter, lorsque nous le suivons, avec Diodore, sur les routes intérieures de la Sicile, de la Sicile orientale en particulier, où il implante cultes et sanctuaires de Déméter. Les traditions béotiennes et siciliennes sont, sur ce point, très proches l'une de l'autre. Si nous ajoutons que partout où le culte divin est implanté à côté du culte héroïque, c'est le premier qui est considéré comme le plus ancien, bien que Héraclès/héros, fils d'Alcmène, soit déjà connu d'Homère et commence ses activités dans le monde mycénien, au service du roi d'Argos, Eurysthée, on sera très tenté de faire remonter à une haute époque les premières manifestations du culte divin d'Héraclès en Sicile, culte rénové et renforcé par son rôle dans la colonisation.

Il est une deuxième orientation de recherches, que les textes et les fouilles invitent à explorer, en utilisant encore des parallélismes éloquents, qui, curieusement, ont échappé à l'attention des historiens du culte d'Héraclès, même les plus récents (Brig. Berquist, *Herakles on Thasos*, 1973 et E. Van Berchem, *Syria*, 1974). Ce sont les relations entre le dieu Héraclès et le dieu phénicien Melquart, leur assimilation et leur rôle dans les cités grecques qui se trouvent en contact avec le monde phénicien.

Deux témoignages, par leur rapprochement et le parallélisme des situations qu'ils évoquent, permettent des conclusions importantes sur la personnalité et les fonctions du dieu Héraclès dans les rapports des cités grecques, en particulier des colonies avec le monde périphérique.

Le premier et le plus ancien est celui d'Hérodote (II, 44) sur le culte et le sanctuaire d'Héraclès à Thasos (cf. M. Launey, *Etudes thasiennes*, I, Paris, 1944) et ses origines phéniciennes: « J'arrivai à Thasos et je trouvai un sanctuaire d'Héraclès établi par les Phéniciens qui, naviguant à travers l'Europe, ont fondé également Thasos; et cela cinq générations avant la naissance d'Héraclès, fils d'Amphitrion, en Grèce; ces récits montrent clairement que le culte d'Héraclès/dieu est ancien. Et, à mon avis, ils agissent très raisonnablement ceux des Grecs qui ont institué et pratiquent le double rite pour Héraclès, sacrifiant à l'un, comme à un immortel olympien (ὡς ἀθανάτῳ Ὀλυμπίῳ... θύουσι), à l'autre en offrant les holocaustes comme à un héros (ὡς ἥρῳ ἐναγίζουσι) ».

Et l'historien a poussé son enquête plus loin, puisqu'il se rend à Tyr en Phénicie où il « entendait dire qu'il y avait un sanctuaire vénéré d'Héraclès. Je vis ce sanctuaire, richement garni d'un grand nombre d'offrandes » et la fondation de ce sanctuaire était contemporaine de la fondation de Tyr, habitée, ajoute Hérodote, depuis deux mille trois cents ans. L'identification constante, chez les Grecs, d'Héraclès et de Melkart est bien confirmée par de nombreux autres témoignages, comme aussi l'antériorité du dieu sémitique. Les attributs mêmes confirment cette identification puisque les monnaies tyriennes du Vᵉ siècle donnent l'effigie d'un dieu barbu, muni d'un arc et de flèches et chevauchant un hippocampe ailé. Il est possible qu'on ait là une trace des influences réciproques qui se sont exercées entre les deux cultes.

Si aucun autre témoignage, ni littéraire, ni archéologique, ne confirme la tradition d'une fondation tyrienne à Thasos, la présence des Phéniciens paraît cependant assurée à la fois par le toponyme et par l'ensemble des données sur les périples phéniciens dans l'Egée orientale et septentrionale. A Thasos, une tradition qui paraît bien établie fait remonter aux Phéniciens l'exploitation des mines sur des sites portant des noms sémitiques: « J'ai vu personnellement ces

mines et, parmi elles, les plus étonnantes de beaucoup sont celles des Phéniciens...
Ces mines phéniciennes sont, à Thasos, entre la région appelée Ainyra et Koinyra,
en face de Samothrace. » (Hérodote, VI, 47). Une exploitation minière assurée
par un faible contingent de sémites utilisant une main d'oeuvre indigène et groupé
autour du culte d'Héraclès-Melkart, tel est le mode d'occupation phénicienne, à
une date indéterminée, dont Hérodote a recueilli le souvenir.

Et le cas de Thasos n'est pas isolé; tout au long de la côte orientale de
l'Egée et dans les îles voisines, des preuves du double culte d'Héraclès, dieu et
héros, peuvent être recueillies, avec référence aux apports phéniciens pour le
premier qui partout fut doublé par le culte hellénique du héros. A Erythrées, d'après
la tradition rapportée par Pausanias (VII, 5, 6-7), Héraclès était venu de Phénicie;
la statue de culte, transportée par un radeau phénicien, s'était échouée au cap
Mésatè, sur la côte érythréenne, et il fut impossible aux gens d'Erythrées et de
Chios, tous désireux de l'attirer à eux, de l'en détacher jusqu'au jour où le dieu
lui-même manifesta ses intentions par un songe inspiré à un vieillard aveugle.
Puis le culte héroïque fut implanté à son tour, mais, comme à Thasos, les rituels
étaient différents. Une inscription du IIe siècle av. J.-C. (Von Wilamovitz, *Abhandl.
Akad. Berlin*, 1909, p. 48 sq.) précise les prescriptions relatives à l'un et à l'autre.
Le sacrifice divin est offert à une triade Héraclès, Arétè et Aphrodite Strateia,
tandis qu'un autre sacrifice est réservé à un groupe de dieux et héros, dont Héraclès, portant comme à Paros et à Thasos, l'épithète de Kallinikos. Un règlement
religieux de Chios (*Syll*³, 1013) et, plus nettement encore celui de Kos (*Leges
Sacrae*, I, n.° 7), distinguent des sacrifices divins et holocaustiques; à Kos, les
sanctuaires étaient sans doute distincts. Enfin l'Héraclès lydien, protecteur de la
dynastie royale, vêtu d'une peau de lion, occupe un rang privilégié dans le pan-
théon lydien; qu'il s'agisse dans tous ces cas d'une divinité ancienne, appartenant
à des influences phéniciennes, mais peut-être conjuguées à des survivances anato-
liennes, ce n'est pas douteux. Dans tout ce monde ionien, la présence du culte
divin, précédant le culte héroïque est caractéristique d'Héraclès, et il importe de
signaler son association avec Aphrodite et Déméter, et ses relations avec les cultes
et les rites de la fécondité.

Avec les témoignages de Diodore (IV, 80 sq.), que nous avons résumés ci-
dessus, et les données archéologiques, les mêmes traits se retrouvent en Sicile.
Particulièrement éloquent est le rôle d'Héraclès dans la propagation du culte de
Déméter et de Coré: fondation de sanctuaires en pays indigènes, introduction des
rituels de prospérité et de fécondité agraires. Et, tout particulièrement, son action
en Sicile occidentale, à partir de Sélinonte, avec l'implantation à Eryx du culte
d'Aphrodite, doit être rapprochée de son rôle à Thasos et dans le bassin oriental
de l'Egée. Il est, comme à Thasos et à Tyr, assimilé à Melkart et le couple Hé-
raclès-Aphrodite, attesté par plusieurs textes, correspond évidemment au couple

Melkart-Astarté. Dans l'un et l'autre cas, les situations sont comparables; la rencontre des Grecs et des Phéniciens, soit directement, soit par l'intermédiaire, à l'Ouest, de la colonie de Tyr, Carthage, se situe dans un complexe colonial et se justifie par les relations d'échanges entre les deux courants. Héraclès, qui était archégète de Tyr (*Inscr. de Délos*, 1519, 1.15 et inscription de Malte, dédicace de deux Tyriens à Héraclès archégète, *IG*, XIV, 600), fut, au témoignage d'Hérodote, confirmé par les inscriptions et les monnayages, très étroitement associé aux mouvements de colonisation grecque de Sicile; il fut, par excellence, le représentant et le répondant des Grecs auprès des populations indigènes dont il assimilait aisément les rites et les croyances. Il était tout à la fois symbole de la puissance et porteur des bienfaits de la culture hellénique.

Une étude plus approfondie devrait pouvoir préciser les premières manifestations de sa puissance et les origines de l'extension du culte divin en Sicile. La rapidité de cette action et ses caractères laissent supposer qu'il faut, selon les régions, faire appel aux deux sources de ce culte que nous avons formulées antérieurement, les origines crétoises et les apports phéniciens. C'est là tout un domaine de la protohistoire religieuse de la Sicile qu'il convient d'explorer et de préciser.

ROLAND MARTIN

ERACLE EUBOICO A CUMA
LA GIGANTOMACHIA E LA VIA HERACLEA

1. *Una nuova testimonianza del culto di Eracle a Cuma*. Durante la ricognizione, nei depositi del Museo Nazionale di Napoli, del materiale cumano, attuata insieme alla dott.ssa C. Albore Livadie, è stato trovato un vasetto acromo, la cui notevole importanza è data da una dedica graffita sulla spalla. Il numero di inventario e il tipico cartellino in pergamena indicano, senza ombra di dubbio, che tale oggetto pervenne al Museo di Napoli in seguito all'acquisto del materiale trovato dallo Stevens nei lunghi anni delle sue ricerche in suolo cumano [1].

Si tratta di una piccola olpe apoda in argilla camoscio piuttosto scuro (fig. 1), certamente non locale, priva oggi dell'ansa e leggermente sbeccata all'orlo [2]. La forma, a sagoma continua, corpo pressoché globulare, collo piuttosto stretto, bocca rotonda con labbro svasato, la ricollega ad esemplari della ceramica ionica dell'Est; l'esemplare in questione, come abbiamo detto, è privo di decorazione, il che rende piuttosto difficile un inquadramento cronologico trattandosi di un tipo vascolare appartenente alla ceramica di uso comune. Per la sagoma, il confronto più diretto è con esemplari databili al terzo quarto del VII, di cui abbiamo una documentazione sicura e che si avvicinano al nostro anche per le dimensioni ridotte (dai 9 ai 12 cm. di altezza). Olpai simili provengono dagli scavi dell'agorà di Atene: in un caso il vaso è ricoperto da vernice nera [3], in un altro da vernice rossa [4]; la forma persiste ancora nel tempo: intorno al 500 a.C. è datato un esemplare sempre attico, ancora rivestito da vernice nera [5].

Nella seconda metà del VII secolo ancora, tra il 630 e il 600 a.C., la stessa forma si ritrova a Chio [6] con decorazione a fasce, come un esemplare da Rodi [7].

I prototipi di questi vasetti sono da riconoscersi nell'ambito della ceramica

---

(1) E. Gabrici, *Cuma, MAL* XXII, 1910, col. 43 ss.
(2) Inv. n. 140683, h. cm. 9; diam. mass. cm. 6.
(3) E. Th. Brann, *Late geometric and protoattic Pottery-Athenian Agora*, VIII, 1962, n. 63.
(4) *Athenian Agora*, VIII, *cit.*, n. 629 proveniente da una bottega di vasaio; *cf.* anche *Kerameikos* V, 1, tav. 81 ss.
(5) B.A. Sparkes - L. Talcott, *Black and Plain Pottery-Athenian Agora*, XII, 1970, n. 286.
(6) J. Boardman, *Excavations in Chios 1952-55, Greek Emporio*, 1967, n. 592-95 p. 144 s.
(7) J.K. Anderson, in *BSA* XLIX, 1954, p. 138 tav. 7 c, n. 44.

ionica dell'Est, gli esemplari più antichi dei quali sono stati trovati in numero cospicuo a Samo (⁸). Un esemplare dall'Agorá di Atene, importato molto probabilmente da Samo (⁹), riconferma la cronologia alla prima metà del VII. Questi prototipi, oltre alla decorazione a fasce, divergono da quelli di fine VII per una maggior ampiezza del collo e per la presenza di un labbro molto più breve e meno espanso.

Questo tipo diventa comunque molto comune nel VI secolo e si ritrova non solo ad Atene, Rodi, Samo, Chio (¹⁰), ancora con decorazione a fasce, ma trova una sua collocazione ben precisa in Magna Grecia e Sicilia (¹¹), prolungandosi nel V secolo ancora.

Gli esemplari più tardi si differenziano soprattutto per una forma molto più slanciata del corpo, mentre, specie nell'occidente, la decorazione si riduce alla verniciatura dell'ansa e della parte superiore del corpo. Dalla necropoli cumana proviene un gran numero di piccole olpai di questo tipo più recente, questa volta però in argilla locale (¹²).

Concludendo, sembra possibile individuare una certa evoluzione nel tipo, comunque difficile riguardando una classe di ceramica comune, e gli esemplari con profilo tendente al globulare, come il nostro vasetto, sembrano cominciare nel terzo quarto del VII secolo e non superare il 500 a.C.

Quello però che rende particolare questo umile vasetto, confortando anche la datazione alta che se ne è data, è il graffito posto sulla spalla dopo la cottura (fig. 2): su di essa si legge, in direzione retrograda ηεραχλει; ci troviamo quindi di fronte ad una offerta votiva ad Eracle, la più antica finora apparsa in Italia.

L'aspirata ancora chiusa, come l'*epsilon* dai tratti obliqui, conferma l'arcaicità della dedica. Perfettamente resi e chiaramente scritte sono le prime e le ul-

(8) *A.M.* LVIII, 1933, p. 130-2 fig. 78, 79, 82 degli inizi del VII secolo a.C.; *A.M.* LXXII, 1952, tav. 57, 1-4; 63, 2-3 etc.; *A. M.* LXXIV, 1959, tav. 31.

(9) *Athenian Agora*, VIII, *cit.*, n. 228.

(10) Per Atene, *Athenian Agora*, XII, *cit.*, nn. 255, 261; per Rodi, *ASAA* VI-VII (1923-24), p. 278, fig. 117; per Samo *A. M.* 1929, p. 29, n. 3; per Chio, Boardman, *Emporio, cit.*, n. 596.

(11) G. Vallet - F. Villard, *La céramique archäique-Megara*, II, 1964, tav. 204, p. 183 e nota 5 per bibliografia precedente; *cf.* anche M. Martelli Cristofani, in *Les céramiques de la Grèce de l'Est et leur diffusion en Occident*, Centre J. Bérard, Naples, 1978, p. 185 e 190, tav. LXXIII, fig. 53, con bibliografia aggiornata sugli esemplari trovati in Italia meridionale e in Sicilia.

(12) *Not. Sc.* 1883, tav. V, forma n. 40; *cf.* ad es. tra il materiale conservato al Museo di Napoli, inv. n. 139864 da tomba scavata dallo Stevens l'8-12-1878, inedita; inv. n. 141497 da tomba scavata dallo Stevens il 18-12-1878, inedita, etc.

time tre lettere (figg. 3 e 6): hερ e λει. Leggibile ma incisa con maggior difficoltà è l'*alfa* (fig. 4) con delle forti alterazioni: la forma priva di spigolo in alto ricorda l'*alfa* beotico del cui influsso risentono anche l'Eubea e la Tessaglia ([13]), ma potrebbe in questo caso trattarsi di cattiva grafia. Sicuramente sbagliato è il *kappa* (fig. 5), ma tale errore si giustifica. Tra l'*alfa* e il *kappa* cadeva infatti l'ansa, ora mancante: nell'incidere in senso retrogrado, le prime tre lettere erano facilmente tracciabili. L'ingombro, costituito dall'ansa, rese invece prima difficile l'incisione dell'*alfa* e impossibile poi quella del *kappa*: l'ansa infatti non dava spazio per proseguire regolarmente da destra a sinistra l'incisione lasciando il vaso in posizione frontale. Il dedicante fu costretto quindi a capovolgere il vaso per tracciare il *kappa*; in questo modo egli cadde in inganno cominciando a scrivere il *kappa* come se il vaso fosse ancora in posizione frontale, cioè con il trattino verticale a destra e i due tratti obliqui divergenti verso sinistra, mentre, avendo dovuto capovolgere il vaso, i segni dovevano essere invertiti e scritti in senso sinistrorso. Accortosi dell'errore prima di aver completato il disegno intero l'incisore si sentì in dovere di correggere in qualche modo l'errore fatto, tracciando un altro tratto verticale sul versante opposto. Superata quindi la difficoltà dell'ansa e ristabilito il senso giusto, le lettere successive furono incise senza più anomalie.

Vediamo ora di riconoscere, se possibile, l'origine etnica del dedicante, basandoci sull'alfabeto usato. La prima cosa da fare è l'esclusione del mondo ionico, dove, per il fenomeno della psilosi, la aspirata non sarebbe stata usata e, in secondo luogo, l'esclusione anche del mondo calcidese, presentandosi il *lambda* con lo spigolo in alto. La lettera più caratteristica è il *rho*, perfettamente triangolare. Un segno siffatto è presente a Corinto, ma tale città si deve escludere in quanto manca nella nostra epigrafe il caratteristico *epsilon* corinzio; lo troviamo identico a Megara e a Sicione; in quest'ultima città però tale segno è importato da Megara stessa e inoltre dovremmo anche trovare il caratteristico segno a clessidra per l'*epsilon* ([14]). Non resta quindi che il mondo megarese.

Le testimonianze epigrafiche di Megara Nisea, tutte non anteriori alla metà del VI, portano delle lettere molto simili a quelle corinzie con il segno β = ε, η. A Megara Iblea i testi di metà VI (cf. quello caratteristico del kouros di Somrotipas) non mostrano ancora il β = ε, η ma il *rho* già perfettamente normale, non più reso con il solo triangolo come a Megara Nisea. Se risaliamo invece al VII secolo, la stele di Ἐρατώ mostra chiaramente come in questo momento a Megara

---

(13) M. Guarducci, *Epigrafia Greca*, I, 1967, p. 144, per la Beozia; p. 217 per l'Eubea; p. 358 per la Tessaglia.
(14) Guarducci, *Epigrafia, cit.*, p. 334 s.

si usa l'*epsilon* normale e il *rho* triangolare. Un'altra epigrafe megarese dello stesso periodo con lo stesso segno triangolare contiene una dedica agli h]έροισι θεοῖ[ς; alcune lettere seguenti hanno fatto supporre alla Guarducci che nel VII secolo fosse in uso nel mondo megarese il *lambda* « calcidese », sostituito solo in un secondo momento da quello con lo spigolo in alto (¹⁵).

Ritornando alla nostra epigrafe abbiamo testimoniata l'*epsilon* normale scomparsa almeno intorno alla metà del VI secolo, il che costituisce già un *terminus ante quem*; un ρ reso con il segno triangolare, segno che andava scomparendo per normalizzarsi al momento della fondazione di Selinunte. Queste due lettere pongono quindi la nostra epigrafe intorno alla seconda metà del VII, vietando di scendere al VI a.C. Essa inoltre mostra come la forma del *lambda* più antico fosse già con lo spigolo in basso, e non del tipo « calcidese » come sembrava di intravedere in una delle lettere che seguono la dedica agli h]έροισι θεοῖ[ς già citata. Un prestito dal mondo beotico invece potrebbe semmai far intravedere l'*alfa*, se, ripetiamo, non è solo sintomo di cattiva scrittura.

Siamo quindi di fronte ad un oggetto « ionico » su cui un ignoto megarese graffì una dedica ad Eracle in terra cumana. Che il culto di questo eroe non sia estraneo a questo mondo, non è una novità: poco sappiamo per Megara Nisea, ma non è forse un caso che Megara è nella saga beotica la sposa di Eracle (¹⁶); l'identità poi dell'eroe locale Alkathoos con Eracle Alkaios è stata abbondantemente notata (¹⁷); a Megara è stata sepolta Alkmena (¹⁸) per volere del dio di Delfi e nello stesso luogo è sepolto Illo (¹⁹). Ricordiamo poi il nome dato ad una colonia pontica, Heraklea, anche se fondata con l'aiuto del Beoti (²⁰). Anche alcune epigrafi, sebbene più tarde della nostra, mostrano devozione per questo eroe: una è stata trovata presso Siracusa su uno skyphos a vernice nera (²¹) degli inizi del V secolo; un'altra è incisa sulla gamba sinistra di una statuetta bronzea dell'eroe al Museo Benaki (²²). A queste due testimonianze deve ora aggiungersi il blocco di tufo con iscrizione bustrofedica rinvenuto a Poggioreale in territorio

---

(15) M. Guarducci, in *Kokalos* X-XI, 1964-65, p. 473 ss. per una sintesi delle epigrafi megaresi.

(16) K. Hanell, *Megarische Studien*, 1934, p. 26 ss. Degli antichi rapporti tra Beozia e mondo megarese è indizio la tradizione omerica, *Od.* XI, 269 ss. per cui lo stesso eponimo di Megara, Megareus, è nativo di Onchestos in Beozia.

(17) Hanell, *cit.*, p. 27; L. Piccirilli, *Megarikà*, 1975, p. 164 s.

(18) Paus. I, 41, 1.

(19) Paus. I, 41, 2; *cf.* Piccirilli, *Megarikà, cit.*, p. 165.

(20) Su questa questione cfr. per ultimo Piccirilli, *Megarikà, cit.*, p. 88.

(21) L. H. Jeffery, *The local Scripts of archaic Greece*, 1961, p. 136 con bibliografia precedente.

(22) L. H. Jeffery, in *JHS* LXIX, 1949, p. 31 s.

selinuntino ([23]): « io sono sacro ad Eracle e mi pose Aristylos figlio di Damias ». Il blocco, databile intorno al 580 a.C., farebbe parte di un temenos sacro all'eroe. Del resto è del 450 ca., la grande epigrafe con i nomi dei dodici dei, in cui il popolo selinuntino pone Eracle al terzo posto, terzo solo dopo Zeus e Phobos ([24]).

Avevamo dunque già varie testimonianze sulla presenza di questo eroe nel pantheon megarese; a queste si aggiunge ora questo vasetto cumano la cui alta cronologia porta un'ulteriore conferma dell'arcaicità di questo culto.

Accettata la provenienza megarese di questa dedica, deve ora porsi la domanda che già la Jeffery si pose per lo skyphos trovato presso Siracusa ([25]): dove questo visitatore megarese dedicò ad Eracle il suo modesto vasetto? Esisteva anche a Cuma un culto di Eracle a cui potersi associare? La prima considerazione da fare è che di tale oggetto non si fa cenno nei taccuini Stevens, lì dove invece sono enumerati tutti gli oggetti da lui trovati negli scavi della necropoli, sia quelli in corredo che quelli sporadici; né sembra possibile che egli abbia omesso nelle sue descrizioni proprio questo vasetto: non infatti per la sua rusticità (abbiamo le misure e la descrizione di altri). L'iscrizione è poi profondamente graffita, in modo da risaltare subito. Sembra strano quindi che con queste particolarità sia stato omesso volontariamente dalle descrizioni dello Stevens ([26]).

Ne viene come conseguenza l'esclusione di una provenienza della olpe dalla necropoli. Essa deve essere stata trovata altrove, in una qualche area sacra. Sulla identificazione di essa torneremo alla fine di questo lavoro, dopo aver vagliato le

---

(23) M. T. Manni Piraino, in *Kokalos* V, 1959, p. 159 ss.; M. Guarducci, in *ASAA* XXI-XXII, 1959-60, p. 272.

(24) Meiggs-Lewis, n. 38.

(25) *Cf.* qui nota 21.

(26) Le ceramiche con graffiti ed epigrafi sono sempre accuratamente annotate nei taccuini Stevens e risultano riprodotte in Gabrici, *Cuma, cit. passim.* È poi da notare che sotto questo vasetto si trova, scritto a matita a grafia dello stesso Stevens N. 2: dalla revisione di tutto il materiale scavato dallo studioso inglese e reperibile nel Museo Archeologico di Napoli, si è potuto constatare in parecchi casi la presenza di numeri a matita sui corpi dei vasi e si è potuto riscontrare che essi si riferiscono sempre al numero progressivo delle tombe dato dallo Stevens stesso, indicano cioè dei pezzi di un corredo; al contrario, nei casi in cui il numero è preceduto dalla annotazione N (numero), non esiste alcuna relazione con la tomba così numerata (ad es. inv. 127904 con l'annotazione Stevens N. 11; di inv. 141401 con l'annotazione Stevens N. 1). D'altra parte sembra difficile che questi particolari segni di distinzione siano stati messi a caso dallo Stevens, senza uno scopo preciso: è quindi molto probabile che essi indichino oggetti trovati indipendentemente dalle tombe e che lo studioso abbia dato ad essi un numero progressivo aggiungendo il segno N per distinguerli appunto dai corredi.

testimonianze letterarie relative a questo eroe nell'ambito cumano ed euboico in generale.

2. *La Gigantomachia e i suoi livelli.* Le testimonianze più significative relative ad Eracle a Cuma si raggruppano intorno alla Gigantomachia, alla costruzione della via costiera tra il mare e l'Averno, alla dedica delle spoglie del cinghiale di Erymanthos nel Tempio di Apollo.

Cominciamo dalla Gigantomachia; per capire il perché della scelta di questa mitica contesa nel suolo cumano, è indispensabile riprendere in considerazione tutto il problema della Gigantomachia, dal suo svolgimento alle altre sue localizzazioni.

Già nella Teogonia di Esiodo ([27]) i versi ὄλβιος ὅς μέγα ἔργον ἔν ἀθανάτοισιν ἀνύσσας/ ναίει ἀπήμαντος καὶ ἀγήραος ἤματα πάντα costituiscono la più antica testimonianza dell'aiuto dato da Eracle agli dei. È infatti combattendo contro i Giganti, per la costituzione del *kosmos* di Zeus che l'eroe compie « una grande azione tra gli immortali ». Il verso seguente poi « abita tra gli immortali senza dolori e vecchiezza per tutti i tempi », associa la deificazione di Eracle proprio a questa azione dell'eroe, unica atta a concedergli l'immortalità.

Un frammento delle Eoie ([28]) contiene ancora un'allusione all'uccisione dei Giganti colpiti da Eracle e ancora un'allusione è nello *Scutum* pseudo-esiodeo ([29]).

D'altra parte prima di Senofane di Colofone ([30]) dovevano esserci dei carmi dedicati, oltre che alla Titanomachia e alla Centauromachia, anche alla Gigantomachia e questi avevano carattere di στασιωτικά, riguardavano lotte interne ed erano invenzioni di προτέρων, risalivano cioè ad epoca non certo vicina a quella del filosofo, nato intorno al 565 a.C. L'associazione tra Titani e Giganti da un lato, il richiamo alle lotte civili dall'altro, lasciano pensare che egli conoscesse una Gigantomachia tutta vissuta all'interno del mondo divino, ma anche momento di violenza e forze brute contrapposte ([31]).

---

(27) Vv. 954-5; *cf. Hesiod, Theogony, Prolegomena and Commentary,* by M. L. West, 1971, commento ad loc.; *cf.* anche commento al v. 186.

(28) *Fragmenta Hesiodea,* ediderunt R. Merkelbach-M. L. West (1967), fr. 43 (a), v. 65.

(29) *Hesiodi Scutum,* a cura di C. F. Russo, 1968, vv. 28-29: Zeus pianifica il suo adulterio al fine di generare un difensore per gli uomini e *gli dei.*

(30) Xenoph. 21, B1 Diels-Kranz² = fr. 1 West.

(31) *Cf.* anche B7 e B12 D. K e soprattutto il commento di Sesto Empirico, *adv. Math.* 1289 dove, nel riferire il secondo frammento qui citato fa esplicito riferimento alle lotte tra Cronidi prima dell'avvento del regno di Zeus come quelle condannate da Senofane; *cf.* J.-P. Vernant, *Mythe et pensée chez les Grecs,* 1965, p. 31 ss. dove è anche messo in rilievo il rapporto conosciuto da Esiodo, dei Giganti con le Meliai, ninfe dei frassini e delle lance.

24

Questa Gigantomachia divina, cosmica, quale ci appare dalle testimonianze più antiche, viene dunque portata a termine con l'aiuto di Eracle, che assume anzi una funzione essenziale per la buona riuscita della battaglia. Ed è proprio questa impresa, compiuta a fianco degli dei, che rende ad Eracle l'immortalità, gli permette di sposare Hebe e far parte delle gioie dell'Olimpo. Tutto ciò si intravede già in Esiodo ed è ancora più esplicitamente in Pindaro ([32]) e in Euripide ([33]), dove Eracle τὸν καλλίνικον μετὰ θεῶν ἐκώμασε cioè eseguì la danza trionfale che già Zeus aveva ballato nella Titanomachia ([34]).

Sullo svolgimento vero e proprio della Gigantomachia non abbiamo che il testo tardo di Apollodoro ([35]). Nel contesto della sua opera si inseriscono tuttavia e si evidenziano momenti ed episodi che denunciano ampliamenti e modifiche intervenute successivamente.

Evidentemente innovata è la funzione svolta da Atena quale tramite tra l'eroe e Zeus: è lei che convince Eracle a venire in aiuto agli dei per combattere i Giganti ed è lei che suggerisce ad Eracle il modo di sconfiggere Alcioneo ([36]). Nessuna menzione abbiamo infatti, nei testi più antichi, di una funzione mediatrice di Atena e, cosa ancora più evidente, tutte le rappresentazioni figurate arcaiche ([37]) non accostano mai nella lotta Atena ed Eracle se non dalla fine del VI secolo: l'eroe nelle rappresentazioni più antiche è sempre e solo vicino a Zeus, sulla sua quadriga o in atto di salirvi, pronto a scagliare le sue frecce.

Il momento in cui si nota questo cambiamento è d'altra parte ben individuabile cronologicamente ed è anche possibile riconoscere il luogo dove nacque e prosperò questa fusione tra l'Eracle legato a Zeus e l'Eracle legato ad Atena. Tale commistione, in cui la vicinanza di Atena all'eroe rende l'Eracle della Gigantomachia apparentemente simile a quello dorico, nasce infatti in una città ionica per eccellenza: nasce ad Atene, e in un momento particolare: l'avvento della tirannide di Pisistrato.

Mentre infatti prima della metà del VI secolo a.C. le rappresentazioni di Gigantomachia in ambiente attico si contano sulle dita, dall'avvento di Pisistrato il numero diventa altissimo (circa 200 vasi) mentre ridiscende moltissimo nel

---

(32) Pind. *Nem. I*, vv. 67-72; *Nem. VII*, v. 90.

(33) *Her.* v. 180; *cf.* anche Diod. IV, 15, 1: dopo la Gigantomachia Eracle ottiene il più alto favore, il titolo di Olimpico.

(34) Fr. 5 Kinkel=Ateneo I, 22 C; *cf.* Dion. Hal. VII, 72.

(35) F. Vian, *La guerre des Géants*, 1952, *passim*, specie p. 217 ss.

(36) Apoll. *Bibl.* II, 7, I.

(37) *Cf.* Vian, *La guerre, cit.*, p. 51 ss.; *Id. Répertoire des Gigantomachies figurées dans l'Art Grec et Romain*, 1951: n. 94, Pinax di Corinto con Zeus ed Eracle; Pinax di Eleusi, n. 95; Anfora dell'Acropoli 2211, n. 104; Cratere dell'Acropoli 607 di Lydos, n. 105; etc.

periodo successivo: il Vian ([38]) conta solo 55 vasi a figure rosse fino alla metà del V secolo a.C.

È inoltre solo dopo il 550 a.C. che Atena viene accostata ad Eracle in questa azione ([39]), per quanto entrambi siano posti accanto a Zeus, ancora in posizione dominante, mentre intorno al 530 a.C. ([40]) ad esemplificare questo mito compaiono solo Atena ed Eracle, con una evidente sostituzione della figura della dea a quella di Zeus ([41]). Numerosissimi sono poi i vasi in cui è rappresentata la sola Atena contro i Giganti: il Vian ne enumera ben 138 ([42]), mentre scarse sono le rappresentazioni vascolari che mostrano un'altra divinità che sola combatte con i Giganti nello schema della monomachia: solo 16 mostrano Poseidon, tre Dioniso, due Hermes ([43]).

Dal 530 a.C. poi, per tutto il periodo in cui i Pisistratidi detengono il potere, appaiono delle rappresentazioni particolarmente chiarificatrici: in esse infatti appaiono Atena ed Eracle sulla quadriga ([44]). Già il Boardman ([45]) ha notato una relazione tra queste scene e la politica interna di Pisistrato. Le notizie che abbiamo sull'avvento del tiranno al potere dopo l'esilio confermano queste ipotesi: egli infatti, entrando da trionfatore in Atene, si fa portare sull'Acropoli — dove pone la sua dimora — su un carro trionfale, sul quale prende posto accanto a lui una fanciulla armata e vestita come Atena ([46]). Egli si presenta quindi come un novello Eracle che, sconfitti gli avversari simili ai Giganti presso il tempio di Atena nel demo di Pallene, merita di salire sull'acropoli come Eracle merita di salire sull'Olimpo.

(38) Vian, *Répertoire, cit.*, nn. 330-385.

(39) Vian, *Répertoire, cit.*, n. 180 ss. *Cf.* Keine, *Untersuchungen zur Chronologie der attischer Kunst von Peisistratos bis Themistokles*, 1973, p. 344 al contrario pensa che la scelta della Gigantomachia derivi dal ruolo della dea nella stessa impresa, ma sembra che i dati forniti dal Vian mostrano esattamente il contrario.

(40) Vian, *Répertoire, cit.*, nn. 123-133.

(41) Vian, *Répertoire, cit.*, n. 148 bis, datazione 520 a.C. ca.: qui Eracle sale sulla quadriga di Atena invece che su quella di Zeus; la scena ricompare ai primi decenni del V sec.: J.J. Maffre, *Une gigantomachie de la première décennie du Ve siècle*, in *R.A.* 1972, 2, p. 226 ss., ma qui Zeus ricompare anche se Atena è alle spalle di Eracle.

(42) Vian, *Répertoire, cit.*, nn. 159-297.

(43) Nell'età post-pisistratea, le figure con monomachie mostrano un rapporto inverso: 15 monomachie di Dioniso, 9 di Atena, 7 di Poseidon, 4 di Zeus, *cf.* Vian., *Répertoire, cit.*, p. 77 ss.

(44) Vian, *Répertoire, cit.*, n. 298-307.

(45) J. Boardman, *Peisistratos and Sons*, in *R.A.* 1972, p. 57 ss.; *cf.* anche Id., *Herakles, Peisistratos and Eleusis*, in *JHS* XCV, 1975, p. 1 ss.

(46) Polyaen. I, 21, 1; Arist. *Cost. At.* XIV, 4; Hdt. I, 60; Athen. XIII, 609 c-d.

Del resto la politica di Pisistrato, tesa a « mettere ordine » nel disordinato mondo politico ateniese, ben si avvicina ad una cosmogonia e ad una vittoria di Zeus sui Giganti, ultima tappa prima di « mettere ordine » nel mondo.

È evidente che la vittoria ottenuta proprio nel demo di Pallene dovette favorire l'accostamento eroe-tiranno, vittoria sui Giganti — vittoria sugli aristocratici; e ciò significa che Pallene nella Calcidica già a metà VI secolo a.C. doveva essere ritenuta la zona di scontro tra Zeus e i suoi avversari: abbiamo quindi una testimonianza, per quanto indiretta, di tale localizzazione in zona calcidese prima di Pindaro, prima cioè che il poeta lo dica a chiare lettere.

Dobbiamo pensare anche che il nome di Pallene quale centro della Gigantomachia doveva essere ben diffuso già prima di questa data per poter aver presa sul pubblico ateniese sì da permettere l'immediato collegamento di una vittoria in Pallene con una vittoria di dei su degli *anomoi* [47].

L'importanza predominante che assume Atena nella Gigantomachia, che come abbiamo visto non è una figura essenziale nelle rappresentazioni più antiche, è in questo caso dovuta soprattutto al volere di Pisistrato, che per sancire il suo trionfo si fa accompagnare dalla dea poliade della città su cui vuole e riesce a prendere il comando. Questo non significa che la vicinanza di Atena all'Eracle delle dodici fatiche non fosse conosciuta nella seconda metà del VI secolo a.C., e anzi favorisse questo accostamento, ma fornisce un'altra spiegazione alla presenza di questa dea accanto ad Eracle proprio nella Gigantomachia, cioè proprio in un episodio nato con altre caratteristiche in ambito, come meglio vedremo in seguito, diverso da quello dorico.

Il fatto poi che Pisistrato, dopo la sua personale Gigantomachia, creda a buon diritto di poter assurgere al suo personale Olimpo, ossia all'Acropoli, avvalora la convinzione già espressa che proprio questa impresa valse ad Eracle il mondo degli Dei.

Quanto si è potuto notare riguardando le raffigurazioni vascolari di questo periodo è d'altronde confermato anche dalla grande statuaria. È dell'età di Pisistrato il frontone in poros con l'avvento di Eracle all'Olimpo [48] ed è dell'età dei Pisistratidi il frontone in marmo dell'Hekatompedon [49]. Su questo, cioè pro-

---

(47) A Pallene in Attica viene anche localizzato un episodio della saga di Teseo: lo scontro con i Pallantidai; ma la figura di Teseo e la sua fortuna come ἄλλος Ἡρακλῆς, risulta posteriore all'epoca dei tiranni e funzionale all'affermazione di altri γένη attici, in primis i Filaidi; *cf.* le pagine sintetiche di J. Henle, *Greek Myths*, 1973, p. 78 ss. *Cf. R.A.* 1972, 2, p. 58.

(48) W. Deyhle, in *A. M.* 84, 1969, taf. 17, p. 53 s. Per tutto questo problema: F. Kolp, *Die Bau-, Religions- und Kulturpolitik der Peisistratiden*, in *JdI* 92, 1977, p. 99 ss.

(49) Deyhle, *cit.*, p. 14 s., Taf. 24.

prio su di un tempio a cui è impossibile disconoscere un significato politico nella decorazione figurata, compare proprio la Gigantomachia e proprio nel nuovo schema « creato » e funzionale a Pisistrato: Atena è al centro del frontone tra Eracle e Zeus. Che ciò sia giustificabile proprio politicamente è d'altro lato confermato dal frontone del tempio di Apollo a Delfi curato dagli Alcmeonidi. La potente famiglia ateniese avversa ed avversata da Pisistrato trova rifugio a Delfi (ed è nota l'avversione di Pisistrato per questo santuario pur essendo personalmente così interessato ai vaticini [50]) dove, grosso modo contemporaneamente al frontone di Atene su menzionato, ripropone la Gigantomachia questa volta per un tempio di Apollo, ma ritornando allo schema tradizionale più antico, con il fulcro centrale della raffigurazione occupata dalla quadriga di Zeus ed Hera: Atena è in secondo piano ed Eracle manca. È quasi una risposta a Pisistrato: tutta la sua politica poggia sull'inganno e sulla mistificazione.

Ritornando al racconto di Apollodoro, l'episodio stesso di Alcioneo non è inizialmente parte integrante della Gigantomachia, ma un episodio nella vita di Eracle: l'eroe, reduce con Telamone dall'impresa troiana, si scontra ed uccide il gigante Alcioneo mentre pasceva i buoi [51] e sempre, nella tradizione figurata Alcioneo è distinto dagli altri giganti [52]. Inizialmente quindi Alcioneo è battuto e vinto da Eracle, ma questi combatte accanto ad un altro mortale, Telamone, e non accanto agli dei.

Siamo quindi di fronte ad una Gigantomachia, se così si può chiamare, umana, che niente ha a che fare con quella cosmica.

Innovazioni rispetto alla primitiva concezione sono anche le notizie in Apollodoro di fughe di alcuni Giganti dal campo di battaglia vero e proprio. Evidentemente funzionali al recupero nell'ambito della Gigantomachia cosmica di tradizioni locali, di sepolture di Giganti localizzatesi nel tempo in vari luoghi. Così ad esempio Encelado giace sotto la Sicilia scagliatagli contro da Atena [53] e Polybotes sotto Nisyros lanciatogli contro da Poseidone nella sua fuga verso Cos [54]. Nessun cenno si ha infatti di fughe di Giganti in età arcaica, ma tutti

---

(50) Nilsson, *Studies Robinson*, II, 1953, p. 743 ss.

(51) Pind. *Nem.* IV, 25 ss.; *Isth.* VI, 33 ss., dove però esiste già una contaminazione con la Gigantomachia cosmica in quanto lo scontro avviene nei Campi di Flegra, *cf.* qui p. 32 ss.

(52) Vian, *Guerre, cit.*, p. 42 s.; p. 217 ss.

(53) Claud. *De rapt. Pros.* III, 184; *cf.* anche la versione di Philost. *Her.* p. 671 per cui Encelado è sotterrato sotto il Vesuvio.

(54) *Cf.* anche un'iscrizione del III sec. *IG* XII, 3, n. 92 da cui apprendiamo che l'isola di Nisyros è chiamata τὰ Γιγάντεα.

periscono sotto i colpi degli dei e, a maggior sicurezza, trafitti dalle frecce di Eracle.

Originario deve essere al contrario l'episodio di Porphyrion che ci mostra un Eracle accanto a Zeus nell'atto di difendere Hera [55]. È questa infatti una veste inedita per l'eroe, diametralmente opposta a quella dell'Eracle argivo delle dodici fatiche, perennemente perseguitato dalla dea. Antica anch'essa, basti pensare alla ferita che l'eroe infligge ad Hera nell'Iliade [56], ma distinta da questa: Omero infatti non conosce la Gigantomachia né riconnette Eracle a questa ed anzi nella *Nekyia* [57], pur sapendo di Eracle tra gli Dei, l'eroe viene unicamente considerato come vincitore di fiere, protagonista di mischie e massacri di eroi.

Per tutto ciò la tradizione alternativa di Eracle, difensore di Hera, doveva essere ben salda ed antica anch'essa se, malgrado la fortuna dell'altra tradizione, si è conservata fino all'età di Apollodoro.

D'altro canto Eracle difensore di Hera appartiene come si è detto alla Gigantomachia, e questa, momento essenziale per l'avvento del kosmos facente capo a Zeus, si colloca comunque in un momento « precedente » a quello « umano » in cui agisce l'Eracle argivo. Anche lo spazio interessato, come vedremo in seguito, è diverso: la Gigantomachia si svolge in zone dell'Ellade del tutto diverse da quelle essenzialmente peloponnesiache nelle quali sono localizzati gli *Athla*.

La presenza di Eracle nella Gigantomachia cosmica sembra quindi mostrare un'origine autonoma, in cui l'eroe intrattiene con Hera dei rapporti amichevoli, di associazione e non di opposizione.

In questo caso l'ipotesi del Vian [58] che questo episodio della Gigantomachia segni il momento di riconciliazione finale tra l'eroe e la dea va ribaltato: esso rimanda ad una realtà che non è né subordinata né posteriore a quella delle fatiche. Questo rapporto positivo Heracle-Hera si rivela d'altra parte originario in quanto emerge nella formazione stessa del nome Heracles [59] ed è confermato da fonti da cui apprendiamo che proprio per aver difeso Hera l'eroe prese questo nome [60].

Notiamo ora un'altra cosa: Eracle difensore di Hera non compare altrove se

---

(55) Vian, *Guerre, cit.*, p. 197 s.

(56) Om. *Il.* V, 392 ss.

(57) Om. *Od.* XI, 601.

(58) Vian, *Guerre, cit.*, p. 197 s.

(59) *P. W. s.v.*

(60) Ptolemaios Chennos II, 9 Chatzis; Sotade Byz. in Tzetzes *Schol. ad Lycoph. Alex.* v. 1350; *Etymol. Mag.* s.v. Ἡρακλῆς; *Schol. Il.* XIV, 324.

non in un altro episodio documentato da una metopa dell'Heraion Foce Sele [61] e da un vaso dell'attico Brygos [62].

In entrambi i casi si tratta dell'aggressione di Sileni ad Hera e dell'intervento di Eracle in sua difesa. La singolarità di questa raffigurazione è chiaro indizio di una visione particolare di Eracle, visione diversa, anche in questo caso, da quella canonizzata nelle dodici fatiche, ormai prevalente nel VI secolo a.C. È sintomatico infatti che altrove si trovi Eracle in lotta con i Sileni in difesa di una dea, ma questa non è Hera, bensì Iris, divinità minore e di minor prestigio. Nessuna testimonianza letteraria cita l'episodio, ma la sua presenza nelle metope dell'Heraion, nelle quali è ormai documentata l'influenza di Stesicoro di Himera, fa supporre un'analoga origine letteraria di ispirazione. Del resto le due raffigurazioni si collocano cronologicamente in un epoca in cui l'opera di Stesicoro faceva sentire la sua immediata influenza [63].

Vero che non abbiamo nessun frammento stesicoreo relativo a questo episodio, sappiamo però che egli si occupò della caccia al cinghiale di Erymanthos e della sussseguente Centauromachia, vicenda in cui tanta parte aveva Pholos [64]. La tendenza stesicorea alle divagazioni, poteva facilmente condurlo a parlare dei Sileni, dopo essersi occupato di Pholos: questi infatti era figlio della ninfa Melia e di Sileno [65]. Checché ne sia di questa ipotesi, il fatto più interessante è l'episodio stesso scelto per esemplificare la turbolenta e tracotante vitalità dei Sileni: un attacco ad Hera, sposa di Zeus e regina degli Dei. Un tale episodio non ricorre altrove, come si è detto, ma al Sele acquista forte rilievo, basti pensare che la scena occupa tre metope, al contrario delle altre che si risolvono solo in una o al massimo due metope (combattimento con Eurytion), ed è seconda solo alla Centauromachia con sei metope. Questo fatto sta a dimostrare il rilievo che si vuol dare a questo episodio: Eracle quale difensore di Hera nello stesso atteggiamento della Gigantomachia. Non può essere quindi un caso che questo aspetto dell'eroe è valorizzato in un santuario le cui origini si fanno risalire a Giasone e agli Argonauti [66], esponenti di quel mondo tessalico fortemente imparentato con

---

(61) P. Zancani Montuoro - U. Zanotti Bianco, *Heraion Foce Sele*, vol. II, 1954, p. 141-166; cf. P. Zancani Montuoro, *Un mito greco in Etruria*, in *ASAA* XXIV-XXVI, 1950, p. 85 ss.

(62) Beazley, *ARVP* 1963, p. 247, n. 13; qui compare anche Iris, divinità minore che altrove viene essa stessa insidiata dai Centauri, cf. *Heraion, II*, cit., p. 159, nota 7.

(63) Che tale episodio compaia poi in un vaso di Brygos non fa meraviglia conoscendo il favore da lui dato alle scene di forte movimento, per cui è facile intuire che non si dovette far sfuggire questo episodio.

(64) Stesicoro ap. Atheneo XI, 499 a-b = fr. 181 Page. *Cf.* anche Diod. IV, 12; Apollod. II, 5, 4.

(65) Pind. ap. Paus. III, 25, 2.

(66) *Heraion, cit.*, I, 1951, p. 9 ss.

l'Eubea (⁶⁷); santuario appartenente ad una città dove la presenza di tradizioni tessaliche ed achee affiora in più di un'occasione (⁵⁸).

Questa situazione presenta analogie con quello che si riscontra in un altro tempio « acheo » della Magna Grecia, il Santuario di Hera Lacinia. La sua fondazione è dalla tradizione concordemente fatta risalire ad Eracle (⁶⁹). In questo caso l'eroe innalza un tempio ad Hera, omaggio ad una divinità che non sente nemica ma al contrario sente il bisogno di onorare. Che tutto ciò avesse riflessi cultuali molto precisi è dimostrato dall'episodio di Milone, sacerdote della dea, che in veste di Eracle, guida i Crotoniati alla vittoria nella guerra contro Sibari (⁷⁰). Non è allora un caso che al santuario del Lacinio si riconnette l'eroe tessalico Achille e sua madre Teti, che regala il κῆπος ad Hera (⁷¹); ricordiamo inoltre la tradizione riportata da uno scolio a Teocrito IV 32 per la quale Crotone stesso, fondatore ed eponimo della città, è figlio di Eaco come Peleo e di conseguenza zio di Achille. E la cosa non è isolata perché anche un altro eroe acheo tessalico collegato ad Eracle, Filottete, era, come è noto, strettamente legato con la crotoniatide (⁷²).

In questo santuario poi Hera ha un carattere fortemente militare; per quanto attestato abbondantemente altrove (⁷³), qui però esso è particolarmente incisivo se la dea riceve l'epiklesis di Hoplosmia (⁷⁴), epiklesis rara che lascia intravedere un'Hera essa stessa armata. Anche questo aspetto era ben noto al sacerdote Milone che si faceva rappresentare su uno scudo nell'atto di reggere in una mano la melagrana. Questa raffigurazione armata è pressoché sconosciuta nel mondo greco; Hera in armi non compare nei monumenti figurati se non nella Gigantomachia e solo in epoca arcaica (⁷⁵). Si tratta quindi di una caratteristica che la dea ha pos-

(67) Per le evidenze archeologiche sui rapporti tessalo-euboici in età protogeometrica oltre a J. N. Coldstream, *Greek Geometric Pottery*, 1968, p. 164 ss.; *cf.* A. Andriomenou, in *Charistériou A. K. Orlandos*, II, 1966, pp. 263-66.
(68) M. Sordi, *La lega Tessala fino ad Alessandro Magno*, 1958, p. 19, nota 2.
(69) G. Giannelli, *Culti e Miti della Magna Grecia*, 2ᵉ ed., 1963, p. 154 ss.
(70) Diod. XII, 9, 2.
(71) *Cf.* Giannelli, *cit.*, p. 137, nota 3.
(72) J. Bérard, *La Magna Grecia, Storia delle colonie greche dell'Italia meridionale*, 1963, p. 336.
(73) Già in Esiodo *Theog.* v. 921 Hera è considerata madre di Ares, divinità della guerra per eccellenza, né ciò può essere un caso. Ricordiamo anche, oltre la famosa ἐξ Ἄργους ἀσπίς (*cf.* M. P. Nilsson, *Griechische Feste*, 1957, p. 42 ss.), e la processione in armi che si teneva a Samo in onore della dea, Polyaen. I, 26.
(74) Solo in Elide, Tzetzes *ad Lycoph.* 858.
(75) Vian, *Guerre, cit.*, p. 68 ss.

seduto in un'epoca remota, conservatasi solo in alcune tradizioni della Grecia. Non sembra un caso però che questo retaggio della Gigantomachia, con i due aspetti peculiari ad essa, Eracle difensore di Hera ed Hera in costume militare, si ritrovano in Magna Grecia in luoghi nei quali anche in epoca storica è noto il passaggio di Tessali (Poseidonia e Crotone), né tanto meno sembra un caso che la Gigantomachia stessa venga posta in Campania, zona di colonizzazione euboica. Tutto ciò confermerebbe che tale tradizione, remota fin che si vuole, è in epoca storica ancora tradizione vivente e sentita soprattutto in ambito greco-settentrionale.

3. *Localizzazioni della Gigantomachia.* Abbiamo dunque visto che la Gigantomachia divina risale almeno al VII secolo a.C. e che allo stesso periodo, risale anche il ruolo affidato ad Eracle in questo scontro. Del resto un ruolo di primo piano nelle vicende cosmogoniche assumono costantemente figure non immediatamente equiparate agli Dei: così ad esempio gli Hekatoncheires nella Titanomachia [76] e Kadmos nella lotta di Zeus contro Tifeo [77]. Abbiamo poi visto come nella tradizione più antica della Gigantomachia, è possibile isolare un Eracle diverso da quello argivo, un Eracle legato ad Hera più che ad Atena. E questa ultima considerazione ci ha portato ad un mondo tessalo-euboico.

Vediamo ora se è possibile far risalire anche l'espansione della Gigantomachia e la sua localizzazione nel territorio cumano, che più strettamente ci interessa, allo stesso mondo euboico.

Se si rileggono le fonti che citano il luogo dove i Giganti furono sconfitti, troviamo che esse sono concordi, da Pindaro in poi (tranne alcune eccezioni che saranno esaminate in seguito) nell'idenficarlo con Φλέγρα o con un πεδίον Φλέγρας [78]. Ciò porta immediatamente ad una localizzazione nella Calcidica, zona di colonizzazione euboica, e più precisamente nella zona di Pallene. È infatti nota già di Erodoto [79] l'identità tra Flegra e Pallene, essendo questo il nome più recente; alla sua testimonianza si aggiungono i Παλληνιακά di Egesippo di Mekyberna [80], Eforo [81], lo Pseudo-Scimno [82], etc. [83].

---

(76) Hes. *Theog.* vv. 639-40: ad essi viene offerto nettare ed ambrosia.

(77) Nonnos, *Dion.* I, 378-534.

(78) Pind. *Nem.* I, 67; Pind. *Isth.* VI, 33, dove però si svolge una Gigantomachia « umana », cf., qui nota 51; Esch. *Eum.* 293; Eurip. *Her.* 1194; e *Ion.* 988; Arist. *Aves.* 824; Lycoph. *Alex.* v. 140 ss.; Apoll. II 138 e I 37; Diod. V, 71.

(79) Hdt. VII, 123 ma già in Ecateo, cf. Vian, *Guerre, cit.*, p. 189 nota 4.

(80) Ap. Steph. Byz. *s. v.*

(81) Fr. 34 Jac. « una volta Flegra ora detta Pallene ».

(82) *Perieg.*, 635.

(83) Apoll. I, 34; *Schol. Apoll. Rhod.* III 234; Tzetzes: ἐν Φλέγραις τῆς Παλλήνης.

Ad una localizzazione ancora dei Giganti nella Calcidica riporta anche un verso di Licofrone([84]), dove si fa cenno alla Pallene nutrice dei Giganti, e un altro nel quale i Giganti, progenitori dei Pelasgi, provengono dalla Sitonia([85]).

Siamo quindi di fronte ad una tradizione ben documentata e ben nota per lo meno dal VI secolo a.C.([86]); del resto l'episodio relativo alla politica interna di Pisistrato di cui ci siamo occupati precedentemente, ne è una conferma (cf. qui p. 25 ss.).

Ancora un toponimo Flegra torna nella tradizione che vede i Giganti vinti nella pianura campana, detta esplicitamente πεδίον φλεγραῖον o direttamente Φλέγρα ο Φλεγραῖα. Tale tradizione, riportata diffusamente da Diodoro([87]) ma che risale esplicitamente a Timeo, racconta come alcuni mitografi narravano (μυθολογοῦσιν) che i Giganti, razza superiore per forza, che conduceva una vita al di fuori di ogni legge, si schierarono nella pianura flegrea, poi detta cumana, contro Eracle e questi, insieme agli dei, li vinse.

Tale narrazione presenta spunti interessanti: prima di tutto vediamo che anche qui il nome più antico della pianura è Flegrea, poi cambiato in Cumana, come nella Calcidica in Pallene. Siamo cioè di fronte a tradizioni molto simili che presuppongono tale scontro avvenuto prima della colonizzazione di questi luoghi, quando le colonie greche sono ancora da venire.

In secondo luogo si può dedurre che questa leggenda localizzata in Campania sia parecchio antica e comunque ben più antica di Timeo, come mostra l'uso del verbo μυθολογοῦσιν.

Come ultima, ma non in ordine di importanza, possiamo fare un'altra considerazione: questa tradizione si presenta con un'ottica assolutamente cumana. La pianura flegrea viene esplicitamente detta τὸ χυμαῖον πεδίον e il Vesuvio viene considerato come appartenente ai Cumani: siamo di fronte ad una tradizione in cui Napoli non è ancora apparsa! Sempre sotto quest'ottica cumana devono leggersi anche i passi di Strabone([88]), di Plinio([89]), di Solino([90]), mentre solo la tarda tradizione di Philostrato([91]) nomina i Neapolitani in relazione con la Gigantomachia.

---

(84) V. 127: Παλληνίαν ... γεγενῶν τροφόν.

(85) V. 1355; cf. anche la leggenda del ritrovamento delle ossa del Gigante Damysos a Pallene, P. W. s.v. Giganten, col. 662.

(86) Quando Pindaro scrive la Nemea I, nel 475 a.C., dà per scontata tale localizzazione.

(87) IV, 15, 1; V, 25, 5.

(88) V, 4, 6=C 245.

(89) N. H. III, 61.

(90) Solin. II, 22.

(91) Her. p. 271, II, 140, 10 ss. K

Abbiamo dunque una serie di testimonianze concordi nell'affermare che la Gigantomachia è connessa con un luogo chiamato Φλέγρα da porsi nella Calcidica o nella pianura Cumana. Sia a Pallene dunque che nei Campi Flegrei della Campania Eracle insieme agli Dei sconfigge i Giganti: non può considerarsi un caso che i due luoghi del mondo greco che portano questo nome siano entrambi colonizzati dagli Euboici. Difficile quindi scindere dalla loro presenza l'apporto di questa lotta e di questo toponimo.

Che anche a Cuma l'origine della Gigantomachia sia di origine euboica è ancora confermato dalla localizzazione sotto Procida del Phlegraios Mimante [92], localizzato altresì nella Pallene [93] e tra Chio ed Eritre, zone di forte presenza euboica [94]; non a caso poi lo stesso Mimante, sia pure come Cureta e non come Gigante, riappare tra i Coribanti di Calcide [95].

Se dunque la Gigantomachia ebbe una sua localizzazione precipua in una zona dal mitico nome di Flegra e questa zona è da identificarsi con Pallene o con la pianura « cumana », non mancano altri luoghi che vantano il mitico scontro nei loro confini. Tali tradizioni, però, dovettero la loro origine a cause contingenti, origine molto spesso dovuta a cause naturali. Esse mostrano quindi con la Gigantomachia un rapporto lontano in cui il contributo mitico non vale per se stesso, ma viene usato solo per spiegare fenomeni naturali. Questo è il caso ad esempio di Megalopoli, dove a Bathos, nella pianura a N-W della *polis*, si diceva che vi fosse ancora il suolo bruciato dal fulmine di Zeus scagliato contro i Giganti e dove, nel tempio di Dioniso *Pais*, erano conservati i resti dei Giganti ivi seppelliti [96]. Ci troviamo dunque di fronte ad un tentativo « razionale » per spiegare un suolo bruciato e il rinvenimento di colossali ossa che oggi, in seguito anche ad altri recenti ritrovamenti, possiamo identificare come resti di mammuts ed altri animali preistorici.

Questo è un caso che si verifica spesso altrove, dove monti ed isolette vulcaniche e rinvenimenti fortuiti di ossa di animali di ere precedenti furono dagli antichi ricollegate alla mitica razza dei Giganti o al seppellimento di uno di essi [97].

---

(92) Silio It. XII, 147.

(93) *P. W. s.v. Giganten*, col. 749.

(94) A. Mele, in *Contribution à l'étude de la société et de la colonisation eubéennes, Cahiers du Centre J. Bérard*, II, Naples, 1975, p. 25 s.

(95) Nonnos *Dion*. XIII 143; XXVIII, 289, 297.

(96) Ps. Arist. *Mir. Ausc.* 127 e Pl., *N. H.* II, 237 ricordano il suolo bruciato presso Megalopoli; Paus. VIII, 29, 1 e VIII, 32, 5 fa cenno ai resti monumentali dei Giganti presso il tempio di Asklepios *cf.* commento ad locum di Frazer, *Pausania's description of Greece*, vol. IV, 1913, p. 313 ss.

(97) *P. W. s.v. Giganten*.

Del resto già gli antichi avevano coscienza della spiegazione reale come mostra Svetonio ([98]).

Lascio da parte tradizioni ancora più late rispetto alla Gigantomachia come ad esempio il fatto che l'Arcadia prendeva il nome di Γιγαντίς ([99]) o che una zona della Macedonia si chiamava Πηλαγονία ([100]) o un'altra parte 'Αλμωπία dal gigante Almops ([101]). A parte il fatto che già Vian ([102]) ha dimostrato l'uso in un certo senso indiscriminato delle leggende dei Giganti nell'antichità, il fatto che una popolazione prenda il nome da un Gigante ([103]) non porta di conseguenza alla localizzazione di una Gigantomachia cosmica in quella regione. Egualmente tarda, sorta dalla confusione tra Titanomachia e Gigantomachia, deve considerarsi la notizia di una Flegra in Tessaglia tra l'Olimpo, l'Ossa e il Pelio ([104]).

In altre zone si spiegano i fenomeni naturali più disparati con la presenza dei Giganti e un tipico esempio se ne ritrova nella Salentina, dove delle fonti di acqua putrida fanno sorgere la leggenda che lì si sarebbero nascosti i Giganti scampati alla battaglia della pianura Flegrea o Cumana: inseguiti da Eracle si sarebbero nascosti sotto terra e il sangue putrefatto delle loro ferite avrebbe provocato il terribile odore ([105]). Qui come si vede, si presuppone sempre che la vera e propria battaglia si sia svolta presso Cuma, il che mostra evidentemente il carattere derivato di questa localizzazione; d'altro lato questa leggenda non può risalire ad età arcaica, dato che tutta la tradizione più antica è concorde nel far morire tutti i Giganti sul luogo di battaglia e non dà alcun spazio ad eventuali fughe, anche se temporanee ([106]).

È al contrario sintomatico che la presenza di Giganti nella Pallene e nella pianura cumana si accompagni al toponimo « Flegreo », lo stesso toponimo e l'unico con cui nella tradizione si identifica il teatro dello scontro tra Dei e Giganti. Se infatti per Cuma si fa cenno a fenomeni naturali che rendono la zona

---

(98) Suet. *Aug.* 72: « qualia sunt Caprais immanium beluarum ferarumque membra praegrandia quae dicuntur Gigantum ossa ».
(99) Steph. Byz. *s.v.,* Γιγαντίς; Eustath. ap. Dio. Perieg. 414 = GGM II 293, 25; Herodiano Technicus I, 205, 2 L. Mayer 33 ss.
(100) Steph. Byz. *s.v.,* Πηλαγονία.
(101) Steph. Byz. *s.v.,* 'Αλμωπία.
(102) Vian, *Guerre, cit.*, p. 233 ss.
(103) Tra l'altro in questo caso Almops è detto figlio di Poseidon, *P. W. s.v.*, al contrario della razza dei Giganti.
(104) Serv. *ad Aen.* III, 578; *Myth. Vat.* II, 53 p. 92, 39; *Schol. Luc.* VII, 150.
(105) Timeo ap. Lycoph. *Alex* 1356-58 = Ps. Arist. *Mir. Ausc.* 97; *Strab.* VI, 3, 5 = C 281.
(106) Vian, *Guerre, cit.*, p. 210 e nota 6. Cfr. qui p. 28.

« bruciata » ([107]) e ci si muove quindi in una logica di accostamento di Flegra a φλέγω sì che potremmo pensare che anche in questo caso la Gigantomachia sia stata ivi localizzata solo per spiegare mitologicamente reali fenomeni vulcanici, resta il fatto fondamentale che *proprio e solo qui*, come in Grecia solo a Pallene, si designò una pianura col mitico nome di Flegra.

Si tenga poi conto di un altro fatto particolarmente indicativo: la tradizione più comune ed antica rimastaci sulla Gigantomachia, colloca lo scontro a Pallene, e qui il nome Flegra non si può mettere in relazione con fenomeni vulcanici: questa è infatti la zona meno alta della Calcidica, non vi si verificano fenomeni vulcanici né sgorgano fonti calde ([108]). Pertanto il toponimo nella Pallene non può essere spiegato se non in relazione alle tradizioni mitiche che vi si collegano, tradizioni mitiche in cui un ruolo di primo piano è svolto dal fulmine di Zeus. Del resto anche nel caso dei Flegi di Orcomeno la connessione con φλέγω non comporta relazioni con fenomeni vulcanici ([109]).

Concludendo possiamo dire che nessun altro luogo afferma con tanto vigore di collegarsi alla Gigantomachia cosmica da dare il nome di Flegrea ad una sua pianura se non Cuma e Pallene. Proprio nell'identità dunque del nome Flegra è da vedersi l'apporto euboico. Ne deriva che la tradizione della Gigantomachia svoltasi nella mitica Flegra è una tradizione tanto forte proprio nell'Eubea, unico comun denominatore che unisca Pallene e Cuma, nella comune visione di una colonizzazione euboica apportatrice di ordine e civiltà in ambiti prima dominati dal disordine e dalla violenza dei mitici Giganti.

4. *I Giganti in Eubea.* Niente ricollega direttamente l'Eubea ai Giganti, né è rimasta notizia di una Gigantomachia in suolo strettamente euboico.

Abbiamo però un'autorevole fonte, Omero, che, se pur sembra non conoscere, come si è detto, una lotta tra gli Dei appoggiati da Eracle e i figli di Crono, ci dà una informazione indiretta del luogo di origine dei Giganti. Egli, infatti, parlando dei Feaci e dell'origine della stirpe di Alcinoo ([110]), dice quest'ultimo figlio di Nausithoo, nato dall'unione di Poseidon con Periboia, la figlia del capo dei

---

(107) Strab. V, 4, 6=245 fa cenno a fenomeni naturali che rendono la zona « bruciata »; lo stesso Strabone però V, 4, 10=C 241 e Polibio III, 91, 7 razionalizzando la versione mitica affermano che la localizzazione in Campania deriverebbe dalla fertilità del suolo che suscita contese.

(108) Vian, *Guerre*, cit., p. 225 ss. Non sembra potersi mettere sullo stesso piano la notizia su scosse telluriche (Philostr. *Her*. I, 3, p. 140, 17 Kayser), dato che in questi fenomeni naturali il fuoco sottinteso nella radice φλεγ è assente.

(109) F. Vian, in *Hommages Dumézil*, 1960, p. 215 ss.

(110) *Od.* VII, vv. 58-63; *cf.* anche v. 206: collegamento tra Feaci, Giganti e Ciclopi.

Giganti Eurimedonte. Precedentemente (¹¹¹) aveva detto che Nausithoo era stato costretto ad emigrare dalla sua terra d'origine, Hypereia, a causa della tracotanza dei suoi vicini, i Ciclopi. È facile dedurre che Periboia partorì suo figlio Nausithoo ad Hypereia, cioè nella terra su cui questo regnò prima di essere costretto ad emigrare a Scheria; è evidente quindi che Poseidon si unì a Periboia nella terra di Eurimedonte, capo dei Giganti.

L'identificazione di Scheria con l'isola di Corcira poggia su una salda tradizione: ne fa fede il santuario di Alcinoo e Zeus sul porto principale di Corcira, santuario che era in mano delle cinque famiglie più ricche dell'isola, cioè della classe dominante (¹¹²). Ricordiamo anche che già Alceo (¹¹³) come Acusilao (¹¹⁴) dicono i Feaci dell'isola di Corcira nati dal sangue di Urano, così come i Giganti.

Resta da individuare quale è la zona greca che può identificarsi con Hypereia, sede primitiva di Nausithoo. Lasciando da parte l'identificazione poco probabile con Cuma, proposta da V. Bérard (¹¹⁵), gli studi del Robert (¹¹⁶) e del Gruppe (¹¹⁷) portano entrambi all'Eubea, per quanto per vie diverse.

Il primo parte dalla localizzazione euboica dei Ciclopi, cioè degli originari vicini dei Giganti: essi venuti dalla Tracia nella Kouretis, cioè nell'Eubea, avrebbero abitato Calcide; i vicini Giganti sarebbero allora da identificare con gli Eretriesi, costretti secondo Omero ad emigrare. Che i Ciclopi abbiano posto nella mitologia euboica è d'altro lato dimostrato dal nome dato ad uno dei promontori più importanti dell'Eubea, Capo Geraistos, che porta proprio il nome di uno dei Ciclopi (¹¹⁸). Vero è che la caratterizzazione dei Ciclopi euboici sembra differire da quella omerica. Qui essi sembrano non essere semplicemente pastori, dediti all'allevamento e alla raccolta, quanto piuttosto fabbri ed artefici di armi: sono essi infatti che fanno le armi per Teuchio d'Eubea (¹¹⁹).

Questa tradizione dei Ciclopi fabbri è però altrettanto antica se non precedente a quella omerica. Essa infatti si ritrova legata alla Cosmogonia e particolar-

(111) *Od*. VI, 4-6.
(112) Thuc. III, 74, 2; Ps.-Scylax GGM I, 34; IG IX 1, 692; *cf.* Dontas, in *AE* 1965, p. 143 nota 5; *PAE*, 1966, pp. 85-92.
(113) Alceo, Z 118 LP=*Schol. Apoll. Rhod.* IV, 992.
(114) Ap. *Schol. Apoll. Rhod.* III, 15, 83.
(115) V. Bérard, *Navigations d'Ulysse*, IV, 1927-29, pp. 118 ss.
(116) F. Robert, in *RA* II, 1945, p. 12 ss.
(117) O. Gruppe, *Griech. Myth.* I, 1906, p. 416-17.
(118) Apoll. Rhod. III, 15, 83; Steph. Byz. *s.v. cf.* F. Vian, *Génies des passes et des défilés*, in *RA* 1952, p. 29 ss.
(119) Istro ap. *Schol. Il.* X, 439.

mente alla Titanomachia: sono essi che donano a Zeus l'arma della vittoria, il fulmine ([120]).

La loro fine poi, sempre secondo Esiodo ([121]), è da attribuire all'ira di un Apollo particolare: questi, irato con Zeus che aveva ucciso suo figlio Asclepio con il fulmine, arma appunto creata dai Ciclopi, si vendica colpendoli con le sue frecce. La punizione di Zeus non tarda ad arrivare ed Apollo è obbligato a servire Admeto come teta. La localizzazione di questa leggenda porta dunque ad un ambito ben preciso: da un lato la Tessaglia — ricordiamo che Asclepio aveva imparato dal Tessalo Chirone l'arte della medicina e che Admeto è re di Fere —, ma dall'altra parte proprio l'Eubea: è nel santuario di Tamynae presso Eretria, fondato da Admeto, che Apollo in ricordo della sua espiazione viene onorato come pastore ([122]). Sembra quindi che i Ciclopi quali si presentano nelle tradizioni euboiche siano fabbri, contrariamente alla tradizione omerica, ma coerentemente con le tradizioni cosmologiche della Titanomachia ([123]).

D'altro lato la tradizione plutarchea della primitiva colonizzazione eretriese ([124]) (e cioè della stirpe dei Giganti omerici) dell'isola di Corcira, confermerebbe la tradizione riscontrata nell'Odissea come anche la localizzazione euboica dei Giganti stessi ([125]). Il collegamento tra Corcira e l'Eubea è poi confermato dalla attestazione del nome Phaiax in Eubea ([126]). È noto inoltre che, al momento della rottura tra Corinzi e Corciresi ([127]), questi ultimi fanno fronte ai colonizzatori ricordando che Corcira era stata abitata prima dai Feaci, famosi sul mare. Questo sembra chiaramente sottintendere una presenza « coloniale » precedente a quella corinzia. Il fatto poi che i Corciresi, come mostra appunto il passo di Tucidide I, 24, 4, si servano di queste tradizioni proprio come rivalutazione della loro indipendenza, in chiara funzione anticorinzia, spiega anche il persistere nell'isola di culti di origine euboica, ad esempio Makris ([128]), proprio perché essi sono da riconnettersi alla mitica colonizzazione dei Feaci-Eretriesi.

---

(120) Hes. *Theog.* v. 141; *cf.* commento di West, *cit.* ai vv. 139-53; *cf.* anche *Theogonia Orfica* fr. 92 Ab=Procl. *in Plat. Tim.* I, p. 327 Diele: πρῶτοι τεχνόχειρες.

(121) Hes. fr. 52 M.-W.; Eurip. *Alc.* v. 1 ss.; *Schol. Eurip. Alc.* v. 1 (da Ferecide).

(122) Strab. X, 1, 10=C447.

(123) *Cf.* anche la tradizione dei Ciclopi, primi abitatori della Sicilia secondo Thucidide VI, 2: soprattutto a Leontini, Strab. I, 2,9=C20, e a Naxos, Eustath. *Od.* 1618; *cf.* Roscher, *Myth. Lex.* II 1689.

(124) Plut. *Q.G.* 11; *cf.* Strab. X, 1, 15=C449 da cui apprendiamo che a Corcira esisteva un luogo chiamato *Euboia*.

(125) B. Marzullo, *Il problema Omerico²*, 1970, p. 176.

(126) *IG* XII, 9, 942 e 1187.

(127) Thuc. I, 24, 4.

(128) N. Valenza Mele, *Hera ed Apollo nelle colonie euboiche d'Occidente*, in MEFRA 89, 1977, 2, p. 495 s.

D'altro lato, ritornando ai versi omerici, come fa notare il Gruppe (cit.), è difficile staccare Periboia, figlia di Eurimedonte, dalla Oceanina omonima sposa del Titano Lelanto, quello che dette il nome alla piana Lelantina, zona di contesa tra Calcide e Eretria. Sempre il Gruppe poi sottolinea che Periboia, come del resto Euboia, non è che un'*epiklesis* dell'Hera euboica: continua anche per questo verso dunque il rapporto Giganti-Eubea. Del resto, se Periboia figlia del capo dei Giganti Eurimedonte, viene collegata ad Hera, quest'ultima è in un'altra tradizione collegata direttamente ad Eurimedonte, anche se in una forma diversa: la dea, affidata ad Oceano e Teti, si unisce ad Eurimedonte, e da tale unione nasce Prometeo [129]. La leggenda ha chiare implicazioni tessaliche dato il ruolo che in essa gioca Teti, madre di Achille, ruolo che non a caso si ritrova come abbiamo visto nel culto di Hera Lacinia: si torna così a quell'ambito a cui continuamente si riconnettono i miti e i culti euboici.

La Gigantomachia del resto non può disgiungersi dal resto della Cosmogonia. Non a caso quindi si ritrovano in Eubea dei legami ben evidenziati con la Titanomachia e con i Titani e, quindi, di nuovo con la Tessaglia, centro indiscusso di tale battaglia.

Abbiamo visto infatti che una delle piane euboiche di maggior importanza prende il nome da uno dei Titani; conosciutissima è l'importanza di Briareo-Aigaion, aiuto di Zeus nella Titanomachia [130], nel mondo culturale euboico: egli è eponimo di Karystos [131] e riceve culto a Calcide [132]; lo stesso Briareo è anche ricordato come fratello della Titania Euboia [133]. Non a caso allora presso Eretria un monte prende il nome di Olympos [134], quasi a ricordo della vittoria di Zeus: difficile infatti non riconnettere questo con il più famoso monte tessalico che, insieme al Pelia e all'Ossa, tanto ruolo gioca nella Titanomachia. A questo punto assume anche maggior importanza la notizia che Eracle, unitosi ad Euboia,

---

(129) Euphor. fr. 99 Powell; *cf.* Vian, *Guerre, cit.*, p. 175.

(130) Eumelus fr. 2K; *cf.* anche l'accostamento più volte fatto tra Briareo ed Eracle: Clearchos fr. 53 W. = ap. Zenobio V, 48, FHG II, 320 οὗτος ἄλλος Ἡρακλῆς e le numerose testimonianze che ricordano le colonne d'Eracle, prima chiamate Βριαρέω στῆλαι *cf.* P.W. I, *s.v.*

(131) *Schol. Apoll. Rhod.* I, 1165; Steph. Byz., *s.v.*, Κάρυστος; Eust. 281, 3.

(132) Solin II, 16.

(133) Hesych. *s.v.*

(134) Versante W del Dyrphis, *P.W. s.v.*; *cf. I G* XII, 9, 260. Che il toponimo Olympos non possa disgiungersi dalla Cosmogonia si può notare anche nella tradizione dell'Arcadia quale luogo della Gigantomachia, dove si sacrifica al fulmine, al tuono e alla tempesta presso la fonte Olympis, Paus. VIII, 29, 1; *cf.* anche il ἱερόν calcidese in onore τοῦ Διὸς τοῦ Ὀλυμπίου (Meiggs-Lewis n. 52), da collegare al monte Olimpo.

ebbe un figlio dal nome Olympos ([135]): difficile è infatti distinguere questa Euboia dall'isola stessa dal momento che solo in questo luogo troviamo uniti Euboia e Olympos; tale leggenda non avrebbe infatti giustificazione, ad esempio, ad Argo dove ricompare il nome di Euboia quale nutrice di Hera, ma nessun cenno vi è di un Olympos. Qui invece avremmo ricollegati in una unica notizia l'Eubea (ed Hera), Eracle e l'Olimpo. Che proprio l'eroe poi sia padre di Olympos, non sembra potersi dissociare dall'Eracle autore, con gli dei, della vittoria sui Giganti e dell'insediamento di Zeus sul trono olimpico.

D'altro canto la presenza nei pressi di Cuma di un monte a cui è dato il mitico nome di Ossa, conferma l'importanza della Cosmogonia in ambito euboico e ancora il legame con la Tessaglia ([136]).

Ricordiamo ancora come Typheo, quello che terzo dopo i Titani e i Giganti si oppose al re degli Dei, è seppellito nella tradizione ancora una volta in suolo euboico: a Ischia ([137]) o sotto l'Etna ([138]). Questo interesse euboico per la Cosmogonia, che si va sempre più evidenziando, si ritrova ancora testimoniato da un'altra tradizione; la falce con cui Zeus evirò Crono, causa della nascita dei Titani e inizio delle lotte per la supremazia celeste, si ritrova nella spiegazione etimologica di Zancle ([139]), colonia calcidese, e nell'isola di Corcira ([140]), del cui primo impianto eretriese ci siamo già occupati, considerata essa stessa trasformazione della mitica falce di cui conserva la forma.

A questo punto mi sembra opportuno avanzare un'altra ipotesi.

Abbiamo già visto la notevole importanza che assume la Gigantomachia per l'avvento al potere di Pisistrato. Se ora indaghiamo sui contatti che egli personalmente possiede al di fuori dell'Attica, appare subito lo stretto legame che lo unisce a quell'ambito euboico-tessalico già visto come l'ambito originario della Gigantomachia.

---

(135) Apoll. II, 8.

(136) Lycoph. *Alex.* v. 697; la notizia di un monte con tale nome nella zona di Cuma doveva risalire a Timeo, *cf.* E. Ciaceri, *L'Alessandra di Licofrone*, 1901, commento ad locum.

(137) Pind. *Pyth.* VIII, 158; Lycoph. *Alex.* v. 689: Ischia è considerata patria dei Giganti; *cf.* Timeo ap. Strab. V, 4, 8-9 = C 248.

(138) Esch. *Prom.* v. 369; Apoll. VI, 3; Ovid. *Fasti* IV, 49; *cf.* Pind. *Pyth.* I v. 18 per il quale Tifeo giace sotto l'Etna.

(139) Thuc. VI, 4, 5; *cf.* Strab. VI, 2, 3 = C 268; Steph. Byz. *s.v.* Ζάγκλη. Lo stesso nome di Zancle è stato messo curiosamente in relazione con la radice αγκ = ricurvo che si ritrova con lo stesso significato in Calcidica, J. N. Kalléris, *Les anciens Macédoniens*, I, 1954, p. 82.

(140) *Cf.* qui nota 124; inoltre Timeo ap. *Schol. Apoll. Rhod. Arg.* IV, 982-992 g Wende: sono ivi localizzati i Titani e l'isola è teatro della lotta tra Zeus e Crono.

Sappiamo infatti che egli era legato da *symmachia* ai Tessali ([141]); egli stesso dà il nome Tessalos ad uno dei suoi figli, che è il nome dell'Eraclide *archegetes* dei Tessali ([142]). L'alleanza tra la sua famiglia e questa terra è nota e si conserverà ancora nell'età dei Pisistratidi con l'aiuto fornito dalla cavalleria tessalica ad Ippia prima della sconfitta ([143]) e con l'offerta di Iolco, subito dopo la sconfitta, quando anche Aminta di Macedonia offre al tiranno Anthemunte nella Migdonia ([144]).

Pisistrato aveva inoltre possedimenti nel Chersoneso tracico, e per l'accordo col re macedone può ottenere, nella parte N-W della Calcidica volta verso il golfo Termaico, la miniera d'argento del Pangeo ([145]). È poi ad Eretria che può fermarsi a raccogliere mercenari e compagni per riprendere il potere ad Atene nel 564-5 ([146]). I suoi interessi economici e politici lo collegano alla stessa zona in cui si svolge le Gigantomachia: molto probabilmente fu sotto l'influenza di questi ambiti che egli assunse come bagaglio propagandistico la Gigantomachia, innovando la funzione di Atena e paragonandosi ad Eracle dopo aver sconfitto i nemici in una zona dal nome di Pallene, come quella appunto della Calcidica dove era tradizione che fossero stati sconfitti i Giganti.

5. *La Via Eraclea.* Passiamo ora all'altra tradizione che connette Eracle al territorio cumano: la costruzione della via costiera tra il Lucrino e il mare, portata a termine dall'eroe per far passare le mandrie di Gerione al ritorno da Erythia.

La notizia si trova in Licofrone ([147]), Diodoro ([148]), Strabone ([149]), la cui fonte comune sembra Timeo ([150]). Mentre Licofrone localizza l'opera eraclea nella *chora* cumana senza meglio specificare, gli altri due autori indicano chiaramente la strada come quella costiera tra Miseno e Dicearchia, strada identificata tra Capo Epitaffio e Punta Caruso ([151]). Strabone ci dà anche la lunghezza (otto stadi) e l'am-

---

(141) Hdt. V, 63.
(142) *P.W. s.v. Thessalos* 1; *cf.* H. Berve, *Die Tyrannis bei den Griechen*, II, 1967, p. 545.
(143) Hdt. V, 63-64.
(144) Hdt. V, 94.
(145) Berve, *Tyrannis, cit.*, I, p. 50 s. e II, p. 546; *cf.* Hdt. I, 64; Steph. Byz. *s.v.* Ῥάκηλος.
(146) Hdt. I, 61; Arist. *A.P.* 15, 2.
(147) Lycoph. *Alex.* 697-8.
(148) IV, 22, 1-2.
(149) V, 4, 6=C 245.
(150) *Cf.* F. Lasserre, *Strabon*, Tome III (Livres V-VI), 1967, p. 108.
(151) *Cf.* per ultimo F. Castagnoli, *Topografia dei Campi Flegrei*, in *I Campi Flegrei nell'Archeologia e nella storia - Atti Convegni dei Lincei 4-7 maggio 1976*, p. 65.

piezza, sufficiente a far passare un carro. Quest'ultima sembra essere nella terminologia straboniana indizio di strada ampia, vera e propria carreggiata, dato che l'espressione πλάτος δὲ ἁμαξιτοῦ unisce questa alle strade romane di collegamento più imponenti come l'Appia e la Popilia [152]. In questo modo Strabone prende anche le distanze dalla tradizione mitica: è chiaro infatti che una carreggiabile è ben diversa da un tratturo per buoi come farebbe supporre il legame con i buoi di Gerione.

Strabone e Diodoro divergono per quanto riguarda il nome del bacino sbarrato da Eracle con la costruzione della strada: per Diodoro si tratta dell'Averno, per Strabone del Lucrino.

È evidente che, in riferimento alla situazione topografica attuale, la notizia di Diodoro è inaccettabile, poiché tra l'Averno e il mare si interpone il Lucrino. Lo sbarramento al mare costruito da Eracle non poteva essere quindi che più avanti, e doveva dividere dal mare le acque del Lucrino come giustamente dice Strabone.

La contraddizione è però storicamente spiegabile. Intanto va osservato che per lo stesso Strabone il Lucrino e l'Averno appaiono come un unico *kolpos*, ossia un'unità geografica [153]; ma c'è di più, se Diodoro risalendo a Timeo, fa sbarrare da Eracle il passaggio tra l'Averno e il mare, Artemidoro, che pure risale a Timeo [154], nota che taluni non distinguevano il Lucrino dall'Averno. Si aggiunga che neanche Licofrone [155], nel descrivere il sistema facente capo all'Averno e alla via Eraclea, trova modo di citare il Lucrino.

Una situazione per molti versi analoga si intravede nella tradizione, risalente ad Eforo [156], secondo cui tra l'Averno e il mare si trova non il Lucrino, che egli non cita, ma lo Stige e il Pyriphlegetonte fiume infernale, funzionale pure esso quindi ad una concezione dell'area in questione gravitante intorno all'Averno.

Abbiamo dunque una tradizione risalente ad Eforo e Timeo, quindi almeno del IV sec. a.C., che sembra ignorare il Lucrino, e collega la via Eraclea immediatamente all'Averno e al suo sbocco al mare: una tradizione, in altri termini, che non considera la via Heraclea funzionale al Lucrino e alla sua identificazione autonoma. In questo contesto, la via Heraclea ci appare unicamente connessa alla funzione di collegamento, strada cioè di comunicazione tra il Miseno e Dicearchia.

---

(152) *Vie di Magna Grecia, Atti Secondo Convegno Studi Magna Grecia*, 1963, p. 149.

(153) Strab. V, 4, 5=C 244; qui però la posizione sembra rovesciata, essendo il Lucrino a contenere l'Averno e non viceversa, ma questo è evidentemente da mettere in relazione con la maggior importanza del Lucrino in età straboniana.

(154) Artemidorus ap. Strab. V, 4, 6=C 245.

(155) Lycoph. *Alex.* v. 698-709.

(156) Ap. Strab. V, 4, 5=C 244.

La controprova è che, quando il Lucrino guadagna la sua autonomia rispetto all'Averno, e viene economicamente valorizzato come vivaio di pesci prima e di ostriche poi, problema essenziale diventa non solo quello della protezione delle sue acque dai marosi, ma anche quello di assicurare comunque un regolare rapporto col mare ([157]). Anche più tardi, quando si costruì il *Portus Julius*, di nuovo si rafforzarono i moli, ma naturalmente si assicurò l'accesso al mare ([158]).

In conclusione, ogni tipo di valorizzazione economica e militare del sistema Lucrino-Averno passa attraverso la restaurazione della colmata eraclea, ma anche attraverso l'apertura di un varco nella stessa a interruzione di questa colmata e della primitiva funzione di essa come strada. In altri termini la Via Heraclea, in quanto via di comunicazione e non ricordo mitico erudito, appartiene alla fase religiosa arcaica della vita di questa parte della *chora* cumana.

Non pare dubbio quindi che la via Heraclea, nella sua originaria formulazione, sia stata originariamente concepita come via greca e cumana di transito in relazione all'Averno e come via di collegamento tra Dicearchia e Miseno. Il problema è individuare quando questo collegamento ebbe tale importanza da richiedere la costruzione di una nuova strada, e quando si attribuì a quest'opera evidentemente non facile (sappiamo infatti che essa anche in epoca romana richiese una continua manutenzione ([159])) una paternità eraclea.

È ovvio che nel momento della fondazione di Dicearchia da parte degli esuli Sami nel 531 ([160]), la zona doveva essere sotto la diretta influenza cumana come del resto fa fede l'espressione straboniana ἐπίνειον Κυμάιων ([161]), nonché le tracce evidenti nella tradizione di un'estensione della pianura flegrea o cumana fino al Vesuvio e del golfo di Cuma fino a Neapolis ([162]). Inoltre lo stanziamento samio cade proprio all'epoca dell'assalto etrusco contro Cuma, cioè in un momento in cui ai Cumani sono necessari rinforzi. È questo evidentemente il momento di creare anche dei veloci sistemi viari che uniscano il porto di Miseno e l'avamposto samio. È probabile che esistesse una strada interna che, precorrendo la Domiziana, univa Cuma a Puteoli passando a Nord dell'Averno ([163]), ma la zona in parte palu-

(157) J. Beloch, *Campanien*[2], 1890, p. 172 ss.

(158) *Cf.* per ultimo Castagnoli, *I Campi Flegrei, cit.*, p. 65 ss.

(159) Beloch, *Campanien, cit.*, p. 173 ss.; sul rifacimento dall'autore attribuito a Claudio, *cf.* contra Castagnoli, *Campi Flegrei, cit.*, p. 65, nota 89.

(160) Euseb. ap. Hieronym. p. 104 ed. Helm.; *cf.* Steph. Byz. *s.v.*, Ποτίολοι.

(161) Strab. V, 4, 6=C 245.

(162) Eratosth. ap. Strab. I, 2, 12=C 22; Pseud. Arist. *Mir. Ausc.* 103; Steph. Byz. *s.v.* Σειρήνουσαι.

(163) La pressione etrusca anche sui confini meridionali della chora cumana già alla fine VII-inizi VI è stata sottolineata da G. Pugliese Carratelli, in *PP* VII, 1952, p. 248 ss.

dosa e in parte difficile per la presenza delle colline che contornano l'Averno, non doveva essere particolarmente agevole né tanto meno così ampia da poter far transitare un carro ([164]); inoltre non poteva essere troppo sicura militarmente, essendo più esposta che non la *paralìa* agli attacchi dall'interno. Veniva così, con lo sbarramento eracleo, a crearsi un notevole collegamento tra Cuma-Miseno e Dicearchia.

Dicearchia deve aver avuto un suo ruolo nell'ambito dell'espansione cumana verso il golfo di Napoli. Non è un caso infatti che il più antico monumento di Dicearchia ([165]) sia coevo al più antico stanziamento cumano sul golfo di Napoli ([166]). Altrettanto significativo è il fatto che i coloni Sami vengono istallati a Dicearchia in epoca vicina all'esaurirsi di questo primo stanziamento nell'area cumana. Questo sottolinea l'esistenza di un rapporto molto stretto da un lato tra frequentazione del Golfo di Dicearchia e stanziamento cumano a Parthenope, dall'altro tra ispessimento della presenza greca a Dicearchia e isterilimento di Parthenope, fatto sicuro anche a prescindere dall'accettazione o meno della notizia della distruzione di Parthenope da parte di Cuma ([167]).

Ma la funzione di Dicearchia non può essere spiegata unicamente in termini di espansione territoriale e di difesa. C'è infatti da notare che l'interesse cumano verso la zona di Dicearchia va anche al di là del controllo del Golfo: vi è infatti una carreggiata, e, ripetiamo, di difficile costruzione, che unisce i porti del Miseno al territorio di Dicearchia. Vi è dunque un problema stringente di legami cumani proprio con questa area, che spinge a creare un collegamento viario terrestre oltre che, ovviamente, marittimo.

Il primo stanziamento cumano di Dicearchia ([168]), non poteva che essere una specie di postazione, se nelle fonti esso appare unicamente come *epíneion*. D'altro lato i Sami che la occuparono nel 531 non dovevano essere numerosi ([169]) e non dovettero accrescere di molto l'estensione dell'*epíneion*. L'importanza del sito come porto non può certamente essere sottovalutato, ma esso non dovette mai gareggiare con i porti del Miseno, esplicitamente detti λιμένας Κυμαίων da Dionigi ([170]), poiché se da un lato le colline difendevano la baia dai venti ([171]), dall'altro mancava una

(164) M. Frederiksen, in *PW.* XXIII², 1959, col. 2054.
(165) A. De Franciscis, in *Atti XI Convegno Studi Magna Grecia*, 1972, p. 383 ss.; *Id.* in *Rend. Acc. Arch. Napoli* XLVI, 1972, p. 109 ss.
(166) M. Napoli, *Napoli Greco-romana*, 1959, p. 14 ss.; St. De Caro, in *Rend. Acc. Arch. Napoli* XLIX, 1974, p. 37 ss.
(167) Lutat. ap. Philarg. *ad Georg.* IV, 564.
(168) Strab. V, 4, 6=C 245.
(169) Hdt. III, 45, 3.
(170) Dion. Hal. VII, 3.
(171) Ch. Dubois, *Pouzzoles Antique*, 1907, p. 249.

protezione da Sud, creata a Pozzuoli solo nel II a.C., cioè in età romana ([172]). A questo punto riesce difficile capire le ragioni della costruzione e del mantenimento di una via costiera ampia e di non facile costruzione né manutenzione. Questo interesse cumano alla zona di Dicearchia deve spiegarsi anche per altre ragioni, non solo strategiche e militari: si pensa allora alle miniere di zolfo e allume dei monti Leucogei, giacimenti che per la loro rarità erano nell'antichità fortemente redditizi ([173]). Non sembra infatti improbabile che Cuma, nella sua espansione verso il Golfo di Napoli, abbia subito sfruttato anche le risorse che questo territorio offriva.

In questa luce la già citata testimonianza di Eforo diviene ben comprensibile ([174]): egli parlando del territorio cumano e precisamente della zona intorno all'Averno, che è per lui un sistema abbastanza vasto (si ricordi la tradizione sulla estensione della pianura Flegrea) comprendente oltre l'Averno, la palude Acherusia, una fonte d'acqua dolce identificata con lo Stige, e un insieme di acque calde identificate col significativo nome di Pyriphlegetonte, assegna ai Cimmeri questa zona: essi abitano ἐν καταγείοις οἰκίαις dette ἀργίλλας, comunicanti tramite ὀρύγματα tra di loro e col *manteion* costruito sotterra, mentre dei κάσματα assicuravano il rapporto con l'esterno e la loro economia si basava oltre che sui proventi delle consultazioni dell'oracolo sotterraneo dell'Averno, sull'estrazione mineraria, ἀπὸ μεταλλείας. Lasciando ora da parte il complesso problema dei Cimmeri e dell'oracolo sull'Averno ([175]), risulta chiaramente che in questo sistema rientrano, facenti parte quindi della *chora* cumana, miniere e cunicoli estrattivi denominati « localmente » ἀργίλλαι.

Il termine ἀργίλλα dato da Eforo è etimologicamente imparentato con il termine « argilla » indicante però la materia prima del ceramista, passato poi per imprestito dal mondo greco a quello romano ([176]). Eustazio credeva di spiegare ulteriormente il legame tra le due accezioni del termine (terra per ceramisti e case sotterranee) avanzando l'ipotesi che ἀργίλλαι si fossero chiamate le abitazioni sotterranee in quanto l'argilla era un tipo di terreno che, a causa della sua « durezza » (διὰ τὴν στεγανότητα), si prestava a tali costruzioni ([177]). Già Eustazio tuttavia avanza questa spiegazione solo al livello di ipotesi (τάχα) ed è

---

(172) Castagnoli, *I Campi Flegrei, cit.*, p. 62 ss.
(173) R. J. Forbes, *Studies in Ancient Technology*, vol. III, 1965, p. 189 ss. *Cf.* Strab. VI, 275; Pl. *N. H.* XXXI, 12; XXXXV, 174.
(174) Ap. Strab. V, 4, 5=C 244.
(175) Per ultimo Castagnoli, *Campi Flegrei, cit.*, p. 73 ss.
(176) Chantraine, *DELG s.v.* ἄργιλα.
(177) *Ad Dion.* 1166.

chiaro che non si tratta che di un'ipotesi tenendo presente che l'argilla è tutt'altro che apprezzabile per la sua durezza; si tratta al contrario di terreno particolarmente cedevole, franoso, specie sotto l'azione dell'acqua. Anche perciò l'accostamento tra i due termini risulta in questa forma problematico. Quello che conta per noi comunque è questa particolare accezione di ἄργελλα-ἄργιλλα nel valore di casa sotterranea, artificialmente costruita, riconnettibile perciò alle gallerie e cunicoli minerari. È proprio questa accezione evidentemente che nella sua particolarità richiama l'attenzione di Eforo, onde il termine gli appare epicorico.

Tracce però di una analoga accezione del termine si trovano in Macedonia e in Calcidica. I Macedoni, secondo Suida ([178]) chiamavano ἄργελλα un οἴκημα riscaldando il quale ci si lavava: elemento comune è l'accezione di οἴκημα; l'accenno poi al riscaldamento e ai bagni sotterranei, evidentemente di vapore, fa pensare che anche in questo caso si trattasse di cavità sotterranee artificialmente costruite in zone dove ne esistevano le condizioni naturali. L'ipotesi di Kalléris ([179]) che si trattasse di fosse praticate nell'argilla, che dovevano quindi il loro nome alla materia in cui erano scavate, non è se non una ripresa dell'ipotesi di Eustazio, di nuovo da scartare dal momento che Suida parla esplicitamente di οἴκημα e non di fossa. Significativo è inoltre che anche in questo caso l'accezione del termine ἄργελλα come particolare οἴκημα è considerata epicorica, questa volta macedone.

Una terza accezione egualmente epicorica del termine ricorre nella stessa area a contatto con la Macedonia, ossia nella zona della città di Argilos nella Calcidica ([180]). In questo caso veniva indicato col nome di ἄργιλος un topo: e questa era, secondo Aristotele ([181]) un'accezione locale del termine. L'affermazione di Aristotele non può essere svalutata come fa il Kalléris (cit.): Aristotele è di Stagyra, località un po' più a sud di Argilos, e legata ad Argilos dalla comune derivazione da Andros. Pertanto la sua è tradizione locale, che egli poteva direttamente controllare. L'area in cui ricorre questa particolare accezione di *argilos*; il fatto che questo topo venga scoperto durante lo scavo delle fondamenta della città — cosa che fa pensare ad un topo campagnolo che vive sotterra — fanno supporre che il topo venisse chiamato ἄργιλος proprio per queste sue abitudini di vita sotterranea.

---

(178) *S.v.* ἄργελλα.

(179) Kalléris, *Les anciens Macédoniens*, cit., p. 104.

(180) Fondata nel VII a.C.: K. Rhomiopoulou, in *Les céramiques de la Grèce de l'Est et leur diffusion en Occident*, cit., p. 64; *cf.* M. Zahrnt, *Olynth und die Chalkidier*, 1971, p. 67 ss., p. 158 ss.

(181) Arist. fr. 611 R³; Heracl. Lemb., *Pol.* 76 Dilts; *cf.* anche Phavor. Arelat. ap. Steph. Byz. *s.v.*

Si avrebbe, cioè, una facile trasposizione dal nome dell'οἴκημα sotterraneo, artificiale, alla bestiola che se ne serve; inutile ricordare quanto capita al coniglio iberico e al legame che esiste tra il nome dell'animale e i cunicoli sotterranei dell'Iberia ([182]). Checché si voglia pensare di quest'ultima pur verosimile ipotesi, resta il fatto di una accezione particolare di ἄργιλλα in area cumana, la quale trova unico riscontro in ambiente tracomacedone, pur esso interessato dalla colonizzazione calcidese.

Sembra quindi necessario ammettere una mediazione euboica, unico legame tra le due aree, per spiegare la presenza di questo particolar valore di οἴκημα oppure οἶκος sotterraneo attribuito al termine ἄργιλλα-ἄργελλα. Se ciò è vero, la tradizione conservata da Eforo è tradizione euboica e quindi egualmente euboica ne è la spiegazione in relazione ai *metalla* di questa area. Attività estrattiva, in questa area, si trova unicamente nella zona dei Leucogei, e cunicoli minerari sono segnalati in questa zona esplicitamente da Plinio ([183]) per l'estrazione dell'allume.

Conclusione obbligata, a questo punto, è quindi che l'attività estrattiva si è iniziata in età greca in collegamento con il controllo cumano di questa zona.

Tornando alla via Heraclea, non è improbabile pensare che la sua costruzione e conservazione sia dovuta anche alla possibilità di un più facile trasporto del minerale estratto dalla solfatara e dai Leucogei, e questo spiegerebbe sia l'ampiezza atta a far passare un carro ([184]), sia il perdurante interesse cumano a una zona priva di importanti stanziamenti umani.

Concludendo, tale strada è funzionale al controllo della *chora* cumana, ma dovette perdere buona parte della sua importanza quando questo rapporto decadde a vantaggio di Neapolis. D'altra parte, con la decadenza cumana post-Aristodemo e la caduta di Cuma in mano sannita da un lato, e con il rafforzarsi del potere di Neapolis, lo sfruttamento delle riserve minerarie della zona puteolana dovettero passare ben presto all'ultima città caposaldo della grecità in Campania ([185]). E ciò è confermato dal fatto che, quando nel 36 a.C. i Monti Leucogei passano per volere di Augusto a Capua ([186]), essi sono tolti a Neapolis: evidentemente dovevano far parte per antico retaggio di questa *polis*, se con l'affermarsi, almeno dal 194 a.C., della colonia romana di Puteoli facevano ancora, in età augustea, parte

---

(182) V. Bertoldi, *Colonizzazioni nell'antico Mediterraneo occidentale alla luce degli aspetti linguistici*, 1950, p. 216.
(183) Pl. *N. H.* XVIII, 114.
(184) *Cf.* qui nota 152. È noto come la costruzione vera e propria di strade in età greca non sia particolarmente frequente, se non in relazione a santuari e zone minerarie.
(185) E. Lepore, in *Storia di Napoli*, I, 1968, p. 290.
(186) Pl. *N. H.* XVIII, 114.

integrante del dominio neapolitano. Se è vero d'altra parte che queste risorse originariamente ricadevano nella *chora* cumana, è molto probabile che siano passate a Neapolis con una operazione analoga a quella che vide passare da Cuma a Neapolis, già qualche anno dopo la fondazione di quest'ultima città, un'altra fetta di territorio egualmente importante per le sue risorse economiche ed estrattive (argilla) come Pithecusa ([187]).

La funzionalità della via Heraclea, e la leggenda ad essa relativa, quindi, deve appartenere alla preistoria cumana dei luoghi, legata come è alle esigenze strategiche e alle risorse estrattive di Cuma nel momento in cui controllava tutta la *paralia* da Miseno a Parthenope, e dovette diminuire con la fine dell'autonomia di questa *polis*: l'affermarsi della potenza di Neapolis quindi, col relativo sfruttamento della zona mineraria, dovette segnare evidentemente una stasi nella sua funzionalità di collegamento. In età romana, la valorizzazione economica del Lucrino prima, e la riutilizzazione a scopo militare da parte di Agrippa poi, non fecero che diminuirne la funzione iniziale di larga via di transito, facendole assumere, come valore primario, quello di argine e difesa dalle onde del mare.

6. *Le spoglie del cinghiale di Erymanthos.* Se dunque sulla arcaicità e sulla euboicità dell'Eracle della Gigantomachia, come della via Heraclea, è difficile dubitare, assai diversa si presenta la situazione quando si analizza la tradizione della dedica dei denti del cinghiale di Erymanthos nel tempio di Apollo a Cuma.

Pausania, descrivendo le antiche e polverose spoglie del cinghiale caledonio offerte nel tempio di Atena Alea a Tegea, ricorda come una tradizione, a cui pertanto il Periegeta non crede, faceva conservare a Cuma le spoglie del cinghiale ucciso da Eracle ([188]).

Sulla reale esistenza di spoglie di un cinghiale a Tegea, anche senza ovviamente pensare ad una reale offerta di Meleagro, è difficile dubitare. Pausania le ha indubbiamente viste e le descrive con dovizia di particolari: esse si mostrano al Periegeta ormai vecchie, col pelo consunto ([189]). Ci troviamo di fronte a due tradizioni, non a caso accostate da Pausania, che si riferiscono alla sorte toccata ai due cinghiali più celebri dell'antichità, quello vinto da Meleagro a Calydon e quello catturato da Eracle sull'Erymanthos.

Ma se sull'uccisione dell'animale selvatico a Calydon non ci sono dubbi,

---

(187) Strab. V, 4, 8 = C 248.
(188) Paus. VIII, 24, 5.
(189) Paus. VIII, 47, 2. Le spoglie del cinghiale Caledonio furono portate via da Augusto dopo la sconfitta di Antonio e dei suoi alleati, gli Arcadi, Paus. VIII, 46, 1.

completamente opposta si presenta la tradizione per quanto riguarda la simile fatica di Eracle. La fonte più antica che ricorda questo episodio è Sofocle (¹⁹⁰), ma dal tragico apprendiamo solo la vittoria dell'eroe sul cinghiale. Più dettagliato e per noi più interessante è il racconto di Apollonio Rodio (¹⁹¹): Eracle ritorna dall'Arcadia portando « vivo » sulle sue potenti spalle la fiera, che lascia cadere una volta arrivato a Micene al cospetto di Euristeo. La stessa versione riportano Apollodoro (¹⁹²) e Diodoro (¹⁹³); quest'ultimo aggiunge un altro particolare, la fuga, all'arrivo dell'eroe col cinghiale ben vivo sulle spalle, di Euristeo, che cerca rifugio εἰς χαλκοῦν πίθον. Le fonti letterarie dunque che riportano questa fatica di Eracle, sono concordi nell'affermare che, per volere di Euristeo, il cinghiale deve essere portato vivo a Micene e il compito dell'eroe termina quando getta giù dalle spalle il cinghiale. Siamo dunque di fronte non alla uccisione della fiera, ma alla sua cattura. Niente sappiamo di quello che avverrà poi della fiera, ma si dà per scontato che il compito di Eracle è finito.

Come accordare allora questa tradizione con quella per cui Eracle offre a Cuma le spoglie di un animale che, pertanto, non ha mai ucciso? La versione di Pausania ci fornisce dunque una tradizione abnorme dell'*athlon*, che per nulla si accorda con la leggenda che ci è giunta.

Le stesse rappresentazioni figurate di questo mito, senza eccezione, corrispondono alle tradizioni letterarie ora richiamate, anzi, già verso la metà del VI a.C., l'episodio riportato da Diodoro, l'abbandono del cinghiale da parte di Eracle davanti ad uno spaurito Euristeo nascosto in un pithos, entra ormai pienamente nel repertorio figurato greco: la scena si ritrova infatti in una metopa di Foce Sele (¹⁹⁴) e in un vaso di Oltos (¹⁹⁵), in una lamina di bronzo da Olimpia (¹⁹⁶).

Siamo quindi di fronte ad una tradizione compatta ed omogenea che si estende dalla metà del VI sec. a.C. fino all'età di Apollodoro e che rende ancora più difficile accettare la presenza arcaica delle spoglie di questo cinghiale a Cuma. A ciò si aggiunga che questa è una delle fatiche entrate più tardi nella leggenda di Eracle: solo intorno alla metà del VI infatti si ritrova nelle raffigurazioni monumentali, mentre dobbiamo scendere al secolo successivo per averne una menzione scritta (¹⁹⁷).

---

(190) *Trach.* vv. 1095 ss.
(191) I, 224 ss.
(192) II, 5, 4.
(193) IV, 12.
(194) P. Zancani Montuoro - U. Zanotti Bianco, *Heraion*, cit., II, p. 200.
(195) Beazley, *Attic Red Fig. Vase Painters*, 1963, p. 62, 83.
(196) F. Brommer, *Herakles*, 1953, tav. 12, p. 18 s.
(197) Per ultimo Brommer, *op. cit.*, p. 18 s. e schema a p. 54.

La leggenda che si narrava a Cuma sembra quindi difficilmente nata in epoca più antica della divulgazione dell'*athlon* stesso.

Soprattutto però è da notare che la tradizione riportata da Pausania non è assolutamente greca: come abbiamo già visto essa sembra opporsi a tutto ciò che sappiamo riguardo a questa fatica: l'imposizione di Euristeo riguarda — ripetiamo — solo la cattura del cinghiale di Erymanthos e il suo trasporto vivo a Micene, assolutamente non la morte della fiera; di conseguenza riesce difficile per Eracle stesso ottenerne le spoglie e a maggior ragione offrirle a qualsivoglia divinità.

L'accostamento fatto da Pausania tra i denti del cinghiale di Erymanthos a Cuma e la pelle del cinghiale caledonio a Tegea, risulta in effetti chiarificatore. La leggenda cumana deve essere il frutto di una contaminazione tra le due cacce più famose dell'antichità. Quando è da porre questa contaminazione?

Il primo indizio di una variazione nel racconto è la presenza su una moneta romana del 222-218 a.C. della testa di Eracle rivestita da una pelle di cinghiale al posto di quella leonina [198].

A questa prima testimonianza, che evidentemente presuppone l'uccisione del cinghiale da parte di Eracle, si aggiunge un esplicito riferimento di Hygino [199], « Aprum in Phrygia Erymantheum occidit » e un verso di Marziale, « Addidit Arcadio terga leonis apro » [200].

Allo stadio attuale della nostra documentazione questa versione è dunque solo e sempre romana, sia per quanto riguarda le testimonianze figurate che le fonti letterarie. Difficile precisare il momento in cui sorse questa leggenda e il momento in cui le supposte spoglie del cinghiale si immaginarono poste dall'eroe nel tempio di Apollo; sicuramente non prima dell'alleanza con Roma, certamente non in età greca né tanto meno arcaica.

7. *Conclusione*. A questo punto le conclusioni da trarre ci sembrano chiare. In Eubea si era già sottolineata la presenza, attraverso il mito della Presa di Oichalia, dell'Eracle tessalico e di una sua caratteristica *praxis* [201]. Risulta ora provata la presenza anche di un altro aspetto di questo Eracle euboico: il suo ruolo nei miti cosmogonici e la sua particolare fisionomia di Eracle acheo-tessalico, che affonda le sue radici nel passato più antico di questa provincia greca.

---

(198) E. A. Sydenham, *The coinage of the roman Republic*, 1957, n. 94.

(199) *Fab.* 30.

(200) IX, 101, 6.

(201) C. Talamo, in *Contribution à l'étude de la société et de la colonisation eubéennes, cit.*, p. 27-36.

Parallelamente risulta tutta l'importanza del culto di Eracle a Cuma, alla quale appartengono, oltre che una versione della Gigantomachia, anche la più antica testimonianza del culto di Eracle in Italia (iscrizione sul nostro vasetto), e il collegamento al passaggio di Eracle in Campania di una importante opera pubblica della *chora* cumana quale la Via Heraclea, un'opera per certi aspetti (forse non soltanto tecnici) da accostare alla costruzione della famosa Fossa Graeca (202).

Per chiudere proprio richiamandoci alla sopra rilevata caratterizzazione dell'Eracle euboico, caratterizzazione che ne sottolinea il favore dell'eroe verso la dea di cui porta il nome, potremmo avanzare un'ipotesi circa il luogo di ritrovamento del nostro vasetto. Dato il carattere votivo dell'iscrizione e la quasi certezza che il vaso non proviene dalla necropoli, è logico pensare che esso provenga da un'area sacra. L'unica area sacra scavata dallo Stevens di cui abbiamo notizia, è quella del tempio di Hera presso le mura (203); dopo quanto si è detto sulle particolarità del legame tra l'Eracle euboico ed Hera, non sembra fuor di luogo avanzare l'ipotesi che il vasetto provenga proprio da quest'area sacra.

NAZARENA VALENZA MELE

---

(202) Il problema andrà ripreso, al momento non si può fare a meno di notare che se la via Heraclea è in funzione nella zona di Dicearchia, tale zona dovette ricevere, come si è visto, la sua massima valorizzazione proprio a partire dalla fondazione di Dicearchia.

(203) Valenza Mele, *Hera ed Apollo, cit.*, p. 498 ss.

* Devo la pubblicazione di questo vasetto e la relativa documentazione grafica e fotografica alla cortesia e alla collaborazione del Soprintendente prof. F. Zevi, della direttrice del Museo prof. E. Pozzi Paolini e del personale del Museo che qui sentitamente ringrazio.

L'esistenza di Thesmoforie ad Eretria ci è data da Plutarco Q.G. 31. I resti archeologici di un thesmoforion di IV sec. a.C., ellenistico quindi, ma comunque documentante il culto di Demetra ad Eretria, confermano il dato plutarcheo (¹). Il thesmoforion eretriese, la cui identificazione fu resa possibile dalla presenza di idoletti femminili, di una statuetta, anch'essa femminile con un porcellino, attributo precipuo di Demetra, nonché di una dedica a Kore (²), si trova ai piedi dell'acropoli ed è quindi un thesmoforion urbano (³). Consta di un vano e di due ali laterali aperte, nonché di una cella a cui si accedeva con una scala. Davanti erano probabilmente delle terrazze aperte e sulla destra del complesso correva un muro.

La struttura del tempio in sé non può dire molto, ma è probabilmente giusto ritenere che anche ad Eretria, la cerimonia centrale della festa consistesse nel portare su i resti dei porcellini (gettati nei μέγαρα l'anno precedente o nella festa precedente delle Skira (³ᵃ)), che, mescolati agli avanzi del sacrificio venivano

---

(1) Cf. K. Kouroniotis, Ἀρχ. Ἐφ., 1911, 35; Id. gia in Πρακτικά, 1900, 55. La divinità femminile venerata in un tempio molto più antico, i cui resti sono stati recentemente rinvenuti, è con molta probabilità Artemide: cf. P. Auberson, *Führer durch Eretria*, Bern, 1970, p. 105; P. Themelis, Ἐρετριακά, Ἀρχ. Ἐφ., 1969, p. 171 ss.

(2) *Cf.* K. Kouroniotis, Ἀρχ. Ἐφ., *cit.*, 35 = IG, XIII, 9, 258.

(3) Per la pianta, *cf.* P. Auberson, *op. cit.*, p. 105. Per la situazione in altri centri greci, in particolare Thasos, *cf.* E. Salviat, *Une nouvelle loi thasienne*, BCH, 82, 1958, p. 190-252; *id.*, *Décret pour Epiée, fille de Dionysos. Déesses et sanctuaires thasiens*, BCH, 83, 1959, p. 362-397; Cl. Rolley, *Le sanctuaire des dieux patrôoi et le thesmophorion de Thasos*, BCH, 89, 1965, p. 468 ss. Per Delo, dove il tempio non è stato ritrovato, *cf.* la raccolta del materiale letterario ed epigrafico in Ph. Bruneau, *Recherches sur les cultes de Délos à l'époque hellénistique*, Paris, 1970, p. 269 ss.

(3ᵃ) In quest'ultimo senso L. Deubner, *Attische Feste*, Berlin, 1932, rep. 1956, p. 40 ss., che considerava come fondamentale *Schol. Luc. Dial. meretr.* p. 275 ss. Rabe. Lo scholio, che ha un parallelo in Clem. Protr. II 17 14, stabilisce un parallelo tra Skiroforie, Thesmoforie e più oltre anche Arretoforie. Esso non è ben chiaro e molto discusso. Nella discussione moderna il Deubner è accettato pienamente dal Nilsson (*cf. Geschichte der griechische Religion*, München², 1967, vol. I, p. 461 ss.; e già in ARW, 32, 1935, p. 79 ss = *Opuscola Selecta* II, p. 542 ss.; *id., Greek Folk Religion*, Philadelphia 1940, p. 22 ss.); ma le difficoltà dell'interpretazione sono messe in rilievo dallo Jacoby (*cf. FgrHist*, III b Supp. p. 197), che pensa che nello scholio sia caduta tutta la parte relativa alle Skira, e spiega

sparsi sui campi per ottenere la fecondità della terra (⁴): questo uso è documentato con dovizia di particolari per Atene (⁵), mentre una festa dello stesso nome è testimoniata in molti altri luoghi, e nelle isole, a Delo (⁶), Taso (⁷), Paro (⁸); ancora, in un passo purtroppo corrotto di Pausania (⁹), relativo a Potniae e Dodona, si parla di porcellini gettati nei μέγαρα: quindi non si può parlare di usanze propriamente ateniesi, ma si tratta di un rito tramandato in ambiti diversi.

Nell'aition « ateniese » tramandatoci da uno scholio a Luciano e da Clemente, ha molta importanza la storia del pastore Eubuleus e dei suoi porcellini caduti nel baratro, che serve sia a spiegare il rito, sia la presenza di Zeus Eubuleus accanto a Demetra e Kore: questa figura, che come giustamente ha sotto-

l'associazione tra le varie feste fatta dalle due fonti antiche — derivanti probabilmente entrambe da Apollodoro — col fatto che si trattava in ogni caso di cerimonie celebrate da donne per ottenere la fecondità e la fertilità. Egli inoltre richiama una serie di dati relativi alle Skira, all'eroe Skiron e al probabile significato del termine *gypsum* che ricollegherebbe piuttosto ad Atena, senza tuttavia escludere la possibilità di collegamenti con Demetra. Ulteriori difficoltà, inoltre, per le Arreforie, ricordate in entrambi i passi come Arretoforie, ha sollevato il Burkert (*cf.* W. Burkert, *Kekropidensage und Arrephoria. Von Initiationsritus zum Panathenaeenfest, Hermes,* 94, 1966, p. 1-25, ora in (a cura di) M. Detienne, *Il mito,* Bari, 1975, p. 25-49 e 232-245): anche per questa festa abbiamo una serie di altri elementi che riporterebbero ad Atena e farebbero pensare non a riti di fecondità, ma di iniziazione (in questo senso, ma con respiro diverso, A. Brelich, *Paides e Parthenoi,* Roma, 1969, p. 229 ss.). Nonostante alcuni elementi sia in Jacoby sia in Burkert appaiano corretti ed effettivamente il Deubner sembri aver trascurato alcuni dati, rimane difficile credere che nello scholio sia caduto qualcosa e che Clemente quando dice: ταύτην τὴν μυθολογίαν (e cioè l'ἀνθολογία, il κάλαθος, l'ἁρπαγή di Kore e lo σχίσμα τῆς γῆς) αἱ γυναῖκες ποικίλως κατὰ πόλιν ἑορτάζουσιν θεσμοφόρια, σκιροφόρια, ἀρρητοφόρια, πολυτρόπως τὴν Φερεφάττης ἐκτραγῳδοῦσαι ἁρπαγήν, abbia riunito queste feste, che così specificamente ricollega a momenti precisi del mito del ratto di Kore, perché erano tutte celebrate da sole donne per uno stesso scopo. Il legame con Atena potrebbe non escludere quello con Demetra, e una festa di iniziazione femminile, quale le Arreforie, potrebbe esser meno distante da una festa di fecondità di quanto vuole il Burkert (e tale ancora la considerava Jacoby): ma son problemi il cui esame non rientra in questa sede.

(4) *Cf.* M. Nilsson, *G.G.R., loc. cit.*; *id., Griechische Feste,* Stuttgart, 1906, p. 313 ss.; *loc. cit.*

(5) La fonte principale è, appunto, lo scholio al dialogo delle meretrici di Luciano, *Schol. Luc. Dial meretr.* 275,23 Rabe; *cf.* L. Deubner, *op. cit., loc. cit.,* che cerca di stabilire un rapporto con le Skira.

(6) Per Delo, *cf.* Bruneau, *op. cit., loc. cit.*

(7) Per Taso, *cf.* gli articoli di Salviat e Rolley citati alla n. 3, e già prima Nilsson, *Gr. Feste, cit.,* p. 314.

(8) Per Paro, *cf.* Salviat, articoli citati, e Nilsson, *Gr. Feste, cit.,* p. 314.

(9) Paus. IX, 8, 1; *cf.* Nilsson, *Gr. Feste, cit.,* p. 321 n. 3.

lineato il Nilsson ([10]) è legata genericamente alle due dee, e non specificatamente alle Thesmoforie, appare molto distintamente in ambito cicladico ([10a]) e ad Atene accanto ad altre divinità, in Eubea è invece assente, almeno sino ad ora; ma il dato potrebbe non esser casuale, date alcune profonde differenze della festa eretriese. L'aition che infatti ci tramanda Plutarco e che ora esamineremo, evidenzia elementi rituali diversi da quelli tramandatici dallo scholiaste a Luciano. La quaestio plutarchea suona così: Διὰ τί τοῖς Θεσμοφορίοις αἱ τῶν Ἐρετριέων γυναῖκες οὐ πρὸς πῦρ, ἀλλὰ πρὸς ἥλιον ὀπτῶσι τὰ κρέα καὶ καλλιγένειαν οὐ καλοῦσιν;

ἢ ὅτι ταῖς αἰχμαλώτοις ἃς ἦγεν ἐκ Τροίας Ἀγαμέμνων, ἐνταῦθα συνέβη Θεσμοφόρια θύειν, πλοῦ δε φανέντος, ἐξαίφνης ἀνήχθησαν ἀτελῆ τὴν θυσίαν καταλιποῦσαι;

È molto probabile che Plutarco derivi anche qui, come in altri passi delle Q.G. relativi all'Eubea, da una fonte euboica ([11]): ci troviamo quindi in presenza di una tradizione ben informata. La spiegazione fornita da Plutarco, che certamente non spiega molto, è però abbastanza interessante anche di per se stessa. Di fronte a un rito incompiuto si ricorre infatti a una spiegazione che riporta ad Agamennone: questo porta a due fatti: Eufronio (Schol. Arist. Aves, 873) conosceva per l'Artemide di Amarynthos, l'Artemide eretriese, il sacrificio di κριὸν κόλον, e questo uso era riportato ad Agamennone da un frammento callimacheo (200b Pfeiffer e διήγησις X vv. 11), che specificava trattarsi di bestie monocole e prive di coda ([12]): anche qui, quindi, di fronte ad un rito inusuale e comunque imperfetto, si cercava la spiegazione in Agamennone. Il ricorrere a questa figura, e si viene qui al secondo punto, non è probabilmente casuale, in quanto ci riporta al mondo eolico: Plutarco, nel caso delle Thesmoforie eretriesi, specifica che si tratta del ritorno degli eroi greci da Troia: ora noi sappiamo da Strabone (XI, 477 C) che in Eubea erano alcuni Eoli ἀπὸ τῆς Πενθίλου στρατιᾶς rimasti nell'isola: Pentilo è figlio di Oreste (Strabo XIII, 1, 3, 582 C) e ci riporta quindi direttamente ad Agamennone.

---

(10) *Cf. Opuscola Selecta, cit.*

(10a) *Cf. Salviat, BCH, 83, 1959, p. 362-397.*

(11) *Cf. W. R. Halliday, The Greek Question of Plutarch, Oxford, 1928, repr. New York, 1975, comm. a p. 142.* Potrebbe esser possibile anche una derivazione da Aristotele, che potrebbe averne parlato nella costituzione dei Calcidesi. L'esistenza di una « costituzione degli Eretriesi » tra le opere del filosofo non è apertamente documentata, ma presupposta dal Müller (*FHG* II, p. 142) in base a Pol. IV, 3, 2 e V, 2, 9, e al fatto che Heraclide Pontico (*FHG* II, p. 217), che tratta della costituzione eretriese, cita più volte Aristotele. Problemi « eretriesi » sono trattati da Plutarco ancora nelle *quaestiones* 22 e 33, dove pure forse si dovrebbe pensare ad Aristotele come fonte.

(12) *Cf.* anche Ael. XII, 3, 4 che parla di κολοβά.

La presenza di Agamennone, quindi, nella spiegazione data da Plutarco, ci sembrerebbe confermare nel mito quella presenza eolica attestata oltre che da Strabone dallo stesso Plutarco (Q.G. 22) [13], e le cui tracce sono riscontrabili non solamente in Eubea, ma anche a Cuma in Italia Meridionale [14].

Se la spiegazione plutarchea è utile in quanto dà una ulteriore conferma a livello mitico di rapporti, già attestati, tra mondo eolico ed Eubea, rimane che non è di grandissimo aiuto per chiarire la festa eretriese.

Le interpretazioni finora avanzate dalla Harrison, dal Nilsson e dallo Halliday, si basano tutte sul livello estremamente arcaico della festa. Il Nilsson [15] ricorda anzi a paragone, la notizia di Diodoro relativa alle Thesmoforie in Sicilia (V, 4), secondo il quale la festa sarebbe stata fatta μιμούμενοι τὸν ἀρχαῖον βίον. E la Harrison [16], che già aveva visto una traccia di grande antichità nell'uso di cuocere la carne al sole, faceva dipendere da questa anche l'uso di non celebrare Kalligeneia. Questa ultima infatti sarebbe intervenuta solamente con lo sviluppo dell'antropomorfismo: la celebrazione del buon grano avrebbe preso col tempo lo aspetto di Kore, « the fair-born » e figlia della Terra. È indubbio che la cottura della carne al sole riporta ad usanze notevolmente arcaiche, di cui non troviamo ricordo per nessun altro rito greco [17]: è altrettanto vero, tuttavia, che i riti greci di tipo arcaico ignorano il sacrificio cruento, sono offerte essenzialmente di olio, miele, frutta e dolci non cotti: sono sacrifici in cui il fuoco e la cottura sono completamente assenti. Si tratta degli ἄπυρα, offerte che venivano fatte in età storica ancora a determinate divinità [18], e che saranno poi teorizzate da Pitagora [19],

---

(13) Bisogna tener presente che le notizie relative alla presenza eolica in Eubea sono diverse in Plutarco rispetto a Strabone: nella tradizione plutarchea gli eoli sono i primi abitanti dell'isola, in quella straboniana, gli ateniesi.

(14) Cf. Strabo V, 4, 9, 248 C; Diod. IV, 21; contra J. Bérard, La Magna Grecia, tr. it., Torino, 1963, p. 49 ss. che nega validità alla tradizione di una partecipazione di Cuma eolica alla fondazione di Cuma.

(15) Cf. Nilsson, Gr. Feste, cit., p. 319.

(16) Cf. Prolegomena to the Study of Greek Religion, Cambridge, 1908, p. 130.

(17) Lo Halliday, infatti, non trovando paralleli nel mondo greco, ricorreva al valore del fuoco nel mondo persiano.

(18) Cf. Stengel, RE, II (1885) s. v. ἄπυρα, col. 292.

(19) Diog. Laert. VIII, 1, 13; Cic. De nat. deor. II, 36, 88; Macrob. Sat. III, 6, 1-5; Jamb. V. P. V (25), VII (35); Clem. Alex. VII, 6. Per il problema di Pitagora e gli usi alimentari, cf. M. Detienne, I giardini di Adone, tr. it., Torino, 1972, passim; id., Les chemins de la déviance: orphisme, dionysisme et pythagorisme, Atti XIV Convegno di Studi sulla Magna Grecia (Taranto, 1974), Napoli, 1975, p. 49-79; id., Dionysos mis à mort, Paris, 1977, p. 163 ss.

che secondo la leggenda avrebbe fatto egli stesso a Delo questo particolare tipo di offerta. Se anche si vuol pensare che l'azione che può esercitare il sole sulla carne, fa assomigliare il processo di cottura a quello della maturazione dei frutti della terra, quale ci è testimoniato da alcuni passi di Aristotele ([20]) e Senofonte ([21]) (in quest'ultimo specialmente ricorre proprio il verbo ὀπτάω come in Plutarco), e quindi il rito rispecchierebbe in questa particolarità uno degli aspetti che si vogliono ottenere, cioè la fertilità e la maturazione dei frutti, siamo già al di fuori di un ambito di completa arcaicità. E nemmeno si può paragonare, come fa lo Halliday, la cottura di carne al sole con la prescrizione di bollirla, che si ritrova in alcuni riti ([22]). D'altra parte la spiegazione dell'assenza di Kalligeneia con uno stadio anteriore all'antropomorfismo non è soddisfacente, in quanto basata anch'essa sul presupposto della maggiore arcaicità della cerimonia eretriese rispetto a quella conosciuta per altri luoghi.

Infatti, un suo aspetto arcaico, e su questo si tornerà in seguito, la festa lo mantiene anche ad Atene: sappiamo che le donne costruivano capanne sulla Pnice, sedevano per terra ([23]); elementi arcaici persistono in Sicilia ([24]). Bisogna pensare che il rituale relativo a Kalligeneia in tutti questi luoghi sia una aggiunta tardiva?

È quindi necessaria un'altra spiegazione.

Le Thesmoforie sono, come del resto già la Harrison ha messo perfettamente in luce ([25]), una festa delle donne ed insieme una festa agraria volta ad ottenere la fecondità di entrambe ([26]). Esse cadono nel periodo che precede la semi-

---

(20) Arist. *Probl.* XX, 12, 923a 25-30; 924a; XII, 8, 930b 20; *Met.* IV, II, 379b.

(21) Xen. *Oec.* XVI, 15:
Εἰ δὲ ἄνθρωποι σκάπτοντες τὴν νεὸν ποιοῖεν, ἔφη, οὐκ εὔδηλον ὅτι καὶ τούτους δίχα δεῖ ποιεῖν τὴν γῆν καὶ τὴν ὕλην. Καὶ τὴν μὲν γε ὕλην, ἔφην ἐγώ, καταβάλλειν, ὡς ἀδαίνηται, ἐπιπολῆς, τὴν δὲ γῆν στρέφειν, ὡς ἡ ὠμὴ αὐτῆς ὀπτῷτο.; e già a 14: « Ταῦτ᾿ οὖν, ἔφη, σὺ ἄλλως πως νομίζεις μᾶλλον ἂν γίγνεσθαι ἢ εἰ ἐν τῷ θέρει ὅτι πλειστάκις μεταβάλοι τις τὴν γῆν. Οἶδα μὴν οὖν, ἔφην, ἀκριβῶς ὅτι οὐδαμῶς ἂν μᾶλλον ἢ μὲν ὕλη ἐπιπολάζοι καὶ ἀδαίνοιτο ὑπὸ τοῦ καύματος, ἡ δὲ γῆ ὀπτῷτο ὑπὸ τοῦ ἡλίου, ἢ εἴ τις αὐτὴν ἐν μέσῳ τῷ θέρει καὶ ἐν μέσῃ τῇ ἡμέρᾳ κινοίη τῷ ζεύγει. »

(22) *Cf.* M. Detienne, *cit. supra.*

(23) *Cf.* Deubner, *op. cit.*, p. 56.

(24) *Cf.* Diod. V, 4.

(25) *Prolegomena*, cit., p. 272.

(26) Il parallelismo tra fertilità umana e fertilità animale e vegetale è comunissimo: lo stesso *Schol. Dial. meretr.* lo sottolinea: ἐμβάλλονται δὲ καὶ εἰς τὰ μέγαρα οὕτω καλούμενα ἄδυτα | ἐκεῖνά τε καὶ χοῖροι, ὡς ἤδη ἔφαμεν, καὶ αὐτοὶ διὰ τὸ | πολύτοκον εἰς σύνθημα τῆς γενέσεως τῶν καρπῶν καὶ | τῶν ἀνθρώπων οἷον χαριστήρια τῇ Δήμητρι. Così pure la fecondazione della donna è assimilata ad un lavoro di aratura: *cf.* Aesch.

na ([27]), anche se non dappertutto ([28]). La festa ateniese durava come si è detto tre giorni: il primo l'ἄνοδος indicava la salita delle donne al thesmoforion ([29]), il secondo, la νηστεία, giorno dedicato al digiuno e giorno di tristezza; il terzo la Kalligeneia: era in questo giorno che si celebrava in particolar modo la fertilità umana, e in questo si facevano le offerte: essenzialmente dolci, orzo macinato e non, fichi secchi, sesamo, papavero, formaggio. È probabile che ancora a questo giorno si debba attribuire il sacrificio cruento di un porcellino, indicato da uno scholio alle Rane di Aristofane ([30]). A queste notizie sull'andamento della festa, bisogna aggiunge ancora che le Thesmoforie erano feste riservate non solo alle donne ed in particolare alle donne sposate ([31]), ma alle sole donne cittadine, come si evince chiaramente da un verso di Aristofane (*Thesm.* 294: δούλοις γὰρ οὐκ ἔξεστ' ἀκούειν, τῶν λόγων) e ancora più chiaramente da una orazione di Iseo (VI, 49, 50) dove appunto una donna schiava è accusata perché « οὔσης τῆς θυσίας ταύταις ταῖς θεαῖς ἐτόλμησε συμπέμψαι τὴν πομπὴν καὶ ἐσελθεῖν εἰς τὸ ἱερὸν καὶ ἰδεῖν ἃ οὐκ ἐξῆν αὐτῇ ».

Ancora un passo di Lisia (sull'uccisione di Eratostene I, 19), dove una moglie adultera sceglie proprio la festa delle Thesmoforie per fissare i suoi appuntamenti nella casa del marito, grazie alla madre dell'amante, fa capire, come giustamente ha osservato il Detienne, che esiste una incompatibilità tra comportamento scandaloso della donna e sua partecipazione alle Thesmoforie. La cattiva condotta della donna accusata dall'oratore è infatti tanto più riprovevole, in quanto ha scelto le Thesmoforie per i suoi inganni. Sono proprio questi due aspetti: fecondità umana

---

Sept. 754; Soph. *Oed. Tyr.* 1257; Ant. 590; Men. Per. fr. 720: παίδων ἐπ' ἀρότῳ γνησίων δίδωμι σοὶ γὼ τὴν ἐμαυτοῦ θυγατέρα e Plut. *Mor.* 144b: Ἀθηναῖοι τρεῖς ἀρότους ἱεροὺς ἄγουσι, πρῶτον ἐπὶ Σκίρῳ, τοῦ παλαιοτάτου τῶν σπόρων ὑπόμνημα, δεύτερον ἐν τῇ Ῥαρίᾳ, τρίτον ὑπὸ πόλιν τὸν καλούμενον βουζύγιον. τούτων δὲ πάντων ἱερώτατος ἐστιν ὁ γαμήλιος σπόρος καὶ ἄροτος ἐπὶ παίδων τεκνώσει.

Per il valore di Kalligeneia, *cf.* anche Nilsson, *GGR²*, cit., p. 465 e Deubner, *op. cit.*, p. 57; *cf.* anche B. Ashmole, *Kalligeneia and Hieros Arotos, JHS*, 1934, p. 8-10.

(27) Ad Atene nel mese di Pyanepsione, *cf.* Deubner, *op. cit.*, p. 51.

(28) In alcuni luoghi la festa avveniva in estate: così a Tebe (Xen. *Hell.* V, 2, 29; Plut. *Pelop.* 5) e a Delo (*cf.* Bruneau, *op. cit.*, p. 285) e anche a Taso (*cf.* Salviat, *Une nouvelle loi thasienne, cit.*, p. 248).

(29) *Cf. Schol. Aristoph. Thesm.* 585.

(30) *Cf. Schol. Aristoph. Ran.* 338, sec. la correzione di L. R. Farnell, *The Cults of the Greek States*, III, 326, 75b.

(31) *Cf.* Deubner, *op. cit.*, p. 53: bisogna considerare apocrifo lo scholio a Theocr. 4, 75. Così pure Luc. *Dial. meretr.* potrebbe riferirsi o all'uso di età imperiale o ad una festività dello stesso periodo delle Thesmoforie, ma da essa separata; *cf.* Detienne, *I giardini di Adone, cit.*, p. 104-105.

strettamente legata a quella della vegetazione, ed esclusività della festa che ci possono dare una chiave per capire la particolarità della festa eretriese.

Di fatto la mancanza di fuoco e la mancanza di Kalligeneia possono essere interpretate come due facce di una stessa « realtà ».

In un suo interessante articolo su Hermes ed Hestia ([32]), Vernant ha messo in luce il rapporto esistente fra la donna e il focolare, e ricordava in particolare due passi del « Libro dei sogni » di Artemidoro, che conviene citare, data la loro importanza, per intero: il primo I, 74 è relativo all'ἑστία, al focolare: « τρίπους δὲ καὶ ἑστία τὸν βίον καὶ τὴν ὅλην κατάστασιν καὶ τὴν γυναῖκα τοῦ ἰδόντος (scil. σημαίνει); nel secondo II, 40 accanto al rapporto donna-focolare, è indicato più chiaramente anche quello fuoco-generazione dei figli: ἀνακαίειν δὲ δοκεῖν πῦρ ταχέως ἀναπτόμενον καὶ ἐφ'ἑστίας ἐν κλιβάνῳ ἀγαθὸν καὶ παίδων σημαίνει γονήν · ἔοικε γὰρ ἡ ἑστία καὶ ὁ κλίβανος γυναικὶ διὰ τὸ δέχεσθαι τὰ πρὸς τὸν βίον εὔχρηστα · τὸ δὲ ἐν αὐτοῖς πῦρ ἔγκυον ἔσεσθαι τὴν γυναῖκα μαντεύεται · τότε γὰρ ἡ γυνὴ θερμότερα γίνεται.

Questi passi di Artemidoro rivelano dunque una doppia simbologia del fuoco, per così dire: da una parte una simbologia relativa alla generazione dei figli, dall'altra alla donna: ma una simbologia che anche se a due facce, ha sempre come centro la donna: in quanto genera, ed in quanto è guardiana del focolare. Giustamente del resto, Vernant ricordava, per quanto riguarda i figli, come questi nel mito siano spesso assomigliati a tizzoni del focolare e come attraverso il fuoco del focolare stesso si cerchi di ottenere per loro l'immortalità; restando nel campo dei miti legati a Demetra, basterebbe ricordare lo stesso Inno omerico, in cui Demetra appunto, tenta di dare l'immortalità al figlio di Celeo tenendolo sospeso sul fuoco ardente (cf. Hynn. Om. Dem. 239 ss.). Ma altri esempi non mancano, quali il mito di Meleagro; e lo stesso Oreste è chiamato δαλός in Aesch. Coeph. 608. Il figlio è insomma, come diceva Vernant un « tizzone » del focolare paterno ([33]). Se questo è il rapporto del figlio col focolare, il rapporto della donna col focolare è ancora più stretto. Già da Apollodoro abbiamo visto che l'ἑστία rappresenta la donna; e si può aggiungere la sposa legittima, quella a cui è as-

(32) *Cf.* J.-P. Vernant, *Hestia-Hermes. Sur l'expression religieuse de l'espace et du mouvement chez les Grecs*, L'Homme, 1963, ora in *Mythe et pensée chez les Grecs*, Paris, 1969, p. 97-143.

(33) *Cf.* Vernant, *op. cit.*, p. 106. Lo stretto rapporto dei figli col focolare è rappresentato d'altra parte anche nelle cerimonie delle Amfidromie. Per il rapporto dei miti regali del fuoco col focolare reale, da cui deriverebbe l'Hestia della πόλις cf. L. Gernet, *Le foyer commun*, Cahiers Internationaux de Sociologie, 1952, p. 22-43, ora in *Anthropologie de la Grèce antique*, Paris, 1968, p. 382-402.

segnato il compito di continuare la stirpe del marito. Sappiamo infatti che al momento del matrimonio avevano luogo una serie di cerimonie, i καταχύσματα grazie ai quali la donna veniva integrata al focolare domestico del marito. A seguito di questa cerimonia assumeva nella casa quella funzione di fissità, di permanenza che vediamo esser propria della figura di Hestia, di cui l'Inno omerico ad Afrodite (vv. 28-30) dice che fu posta ἐν μέσῳ οἴκῳ da Zeus che le diede così καλὸν γέρας ἀντὶ γάμοιο. È nella figura di questa dea vergine che si perpetua, appunto, come dice Vernant ([34]), la linea familiare, perché « est comme si, à chaque génération nouvelle c'était directement " du foyer " que naissaient les enfants légitimes de la maison ». Questa identificazione col focolare è possibile però appunto solamente alla moglie legittima: in una società in cui è difficilissimo definire i tratti costitutivi del matrimonio « contratto », per cui anzi non esiste un termine specifico, come dice Aristotile (*Pol.* I, 3, 2 1253b ἀνώνυμος ἡ γυναικὸς καὶ ἀνδρὸς σύζευξις) ([35]), ed in cui probabilmente solo in età postsoloniana è stato riconosciuto un « matrimonio legittimo », la moglie « ufficiale » è considerata quella destinata a perpetuare la discendenza del marito ([36]).

È illuminante al riguardo un passo della contro Neera di Demostene (Dem. *in Neaer.* 122: τὸ γὰρ συνοικεῖν τοῦτ' ἔστιν, ὃς παιδοποιῆται καὶ εἰσάγῃ εἰς τε τοὺς φράτερας καὶ δημότας τοὺς υἱεῖς, καὶ τὰς θυγατέρας ἐκδιδῷ ὡς αὑτοῦ οὔσας τοῖς ἀνδράσι. Ed aggiunge subito: τὰς μὲν γὰρ ἑταίρας ἡδονῆς ἕνεκ' ἔχομεν, τὰς δὲ παλλακὰς τῆς καθ'ἡμέραν θεραπείας τοῦ σώματος, τὰς δὲ γυναῖκας τοῦ παιδοποιεῖσθαι · γνησίων καὶ τῶν ἔνδον φύλακα πιστὴν ἔχειν). La funzione della moglie è qui quindi legata alla generazione dei figli e circoscritta all'interno della casa ([37]). Una discendenza di figli pienamente cittadini, è data solo attraverso la moglie legittima; ed è infatti noto che figli nati da schiave, da concubine, e, da un certo momento in poi, anche da straniere, non erano riconosciuti nella fratria del padre ([38]) (cf. Dem. LVII, 53). Questa opposizione esistente tra figli legittimi

---

(34) *Art. cit.*, p. 105.

(35) *Cf.* E. Benveniste, *Il vocabolario delle istituzioni indo-europee*, Paris, 1969, tr. it., Torino, 1976, vol. I, p. 183.

(36) Per il problema del matrimonio, *cf.* J.-P. Vernant, *Le mariage*, PP, 1973, p. 51-79, ora in *Mythe et société en Grèce ancienne*, Paris, 1974, p. 57-81.

(37) Anche qui si riscontra appunto la posizione della donna che occupa lo spazio dell'interno, in contrapposizione a quella dell'uomo che occupa quello esterno: *cf.* Vernant, *Hestia-Hermes, cit.*, p. 104.

(38) È il problema dei nothoi, per cui *cf.* da ultimo, S. C. Humphreys, *The nothoi of Kynosarges*, *JHS*, 94, 1974, p. 88-95: qui è esaminato anche il problema della legislazione periclea del 451, secondo la quale avevano cittadinanza ateniese solamente figli nati da entrambi i genitori ateniesi.

ed illegittimi, fra γυνὴ γαμητή e παλλακή, non è tuttavia originaria: quello che noi troviamo in età classica e che ha cominciato a delinearsi probabilmente in maniera più marcata dopo Clistene [39], non ha riscontro in Omero. Questo indica quindi che si è trattato di una regolamentazione subentrata in un determinato momento dell'evoluzione della πόλις, un momento in cui la città attraverso una tale regolamentazione, appunto, ha cercato di meglio vincolare le sue strutture [40].

È sullo sfondo di questi dati che può essere interpretato il rito eretriese delle Thesmoforie. Se infatti esiste uno stretto legame fra la generazione dei figli (Kalligeneia) e il focolare (cf. il passo di Apollodoro su citato), la mancanza dell'uno e dell'altra assieme non è casuale. Se il fuoco e il focolare definiscono la γυνὴ γαμητή, in pari tempo escludono la παλλακή, l'ἑταίρα e la δούλη: e questo è perfettamente logico, dal momento che nessuna di queste è capace di garantire quello che la città vuole, cioè una discendenza di cittadini, ciò che appunto veniva richiesto nell'invocare Καλλιγένεια. Si è detto precedentemente che la spiegazione di Plutarco era di poco aiuto: in essa però era un particolare interessante: la festa delle Thesmoforie ad Eretria sarebbe stata istituita non da donne libere, cioè da donne capaci di fornire una discendenza legittima, ma da prigioniere troiane. Cosa può significare questo? Se consideriamo questo specifico elemento, dopo quanto si è venuto dicendo fino ad ora, e si ricorda appunto come le Thesmoforie ateniesi fossero una festa limitata alle donne sposate cittadine, (cioè una festa profondamente esclusiva), vien fatto di avanzare l'ipotesi, se la festa eretriese non conservasse un carattere che, originariamente, con gran probabilità, avevano anche le feste ateniesi, quello cioè di essere una festa aperta anche a donne straniere, schiave e così via. Che le Thesmoforie, infatti, avessero questo carattere è molto probabile: esse conservavano infatti, in tempi storici alcuni usi, quali la costruzione di capanne, σκενᾶν [41], gli στιβάδες [42] che sono tipici di quelle antiche feste campestri, che erano appunto aperte agli ξένοι: esempi se ne ritrovano in età classica ancora nella cerimonia della κοπίς, nelle Iacinzie a

(39) Cf. Vernant, Le mariage, cit., p. 64.
(40) Cf. ibid.
(41) Cf. Deubner, op. cit., p. 54-55.
(42) Questi originariamente non avevano alcun valore specifico. Sappiamo che ad Atene le donne usavano come giaciglio l'agnocasto, che aveva un particolare valore anti-afrodisiaco: cf. Deubner, op. cit., p. 56. Che questo valore sia però secondario, lo evinceva giustamente il Nilsson, Gr. Feste, cit., p. 318 n. 4, da quanto sappiamo per Mileto, che anticamente era chiamata πιτύουσσα dalle piante usate come giaciglio: cf. Steph. Byz. s. v. Μίλητος.

Sparta e nelle Tithenidia ([43]), e nei misteri di Andania ([44]), per esempio, o ancora nelle Dionisie cittadine, per cui anche è testimoniata apertamente la presenza di stranieri: così Phil. V. S. II, 3: ἐν κεραμείκῳ ποτίζων (scil. Herodes Atticus) αὐτοὺς ὁμοίως καὶ ξένους κατακειμένους ἐπὶ στιβάδων κισσοῦ ([45]).

Questi elementi ci riportano a quel tipo di feste che Gernet ([46]) ha chiamato « fêtes des paysans » e un cui esempio potrebbe essere conservato in una grande festa celebrata in Arcadia a cui partecipano anche gli schiavi. E questo carattere delle Thesmoforie ateniesi può essere rintracciato ancora in questo elemento: esse sono, come osservava appunto Gernet ([47]) una festa di distribuzione: il più volte citato Scholio al dialogo delle meretrici di Luciano è esplicito anche in questo caso: ὧν νομίζουσι τὸν λαμβάνοντα καὶ τῷ σπόρῳ συγκαταβάλλοντα εὐφορίαν ἔχειν. D'altra parte la partecipazione di elementi estranei alla πόλις, quali appunto straniere e schiave, che è vietata per Atene, sembrerebbe essere nota per le Thesmoforie in Laconia: da Hesych. sembra che la festa prendesse lì il nome di τριήμερος ([48]), ed una epigrafe, abbastanza tarda (Le Bas-Foucart 243 a = IG V, 1208) ritrovata presso Gytheion, in cui si parla di τρῖς (scil. ἡμέρας) τὰς τῆς θεοῦ, e che sembra pertanto doversi identificare appunto con le Thesmoforie ([49]), prescrive (ll. 39/40) la partecipazione degli schiavi alla festa. I misteri di Eleusi erano aperti, come si sa, anche agli schiavi e agli stranieri, e così pure i misteri di Andania erano aperti alle schiave ([50]). La partecipazione anche di elementi estranei alla città viene spiegata in tutti questi casi come espressione di un momento molto arcaico ([51]) quindi anteriore alla regolamentazione da parte dello

---

(43) *Cf.* Polem. apud Athen. IV, 138 F: σκηνὰς ποιοῦνται ... ἐν δὲ ταύταις στιβάδας ἐξ ὕλης, ἐπὶ τούτων δὲ δαπίδας ὑποστρωννύουσιν, ἐφ' αἷς τοὺς κατακλιθέντας εὐωχοῦσι.

(44) Michel, 694, 11, 35 ss. = IG, V, 1, 1390.

(45) Che l'uso degli στιβάδες sia sopravvivenza arcaica, per le Thesmoforie in particolare, è dimostrato dal fatto che a Delo vengono ricordate nei conti dell'anno 250 a.C. le κλίναι (IG XI, 2, 287, A, 70) *cf.* Nilsson, *Gr. Feste, cit.*, p. 319.

(46) *Cf.* L. Gernet, *Frairies antiques*, REG, 41, 1928, ora in *Anthropologie de la Grèce antique, cit.*, p. 21-61, spec. p. 23-26.

(47) *Cf.* Gernet, *art. cit.*, p. 59: « dans les Thesmophories, qui sont l'apport des θεσμοί — presque toutes les fêtes sont l'apport de quelque chose — on entrevoit un rite de distribution des θεσμοί de l'année antérieure (questo è, come si è detto sopra, probabilmente incerto) qui ont mécaniquement acquis des vertus fertilisantes ».

(48) *Cf.* Hesych. *s. v.* τριήμερος · Θεσμοφόρια ὑπὸ Λάκωνες; *cf.* S. Wide, *Lakonische Kulte*, Leipzig, 1893, p. 117-178; Nilsson, *Gr. Feste, cit.*, p. 314, n. 4.

(49) *Cf.* Wide, *op. cit.*, p. 178.

(50) Per Andania, *cf. IG*, V, 1, 1390 e F. Bömer, *Untersuchungen über die Religion der Sklaven in Griechenland und Rom*, Wiesbaden, 1961, vol. III, p. 351 ss.

(51) *Cf.* Gernet, *art. cit.* La partecipazione di schiavi alle Eleusine si spiegherebbe, sec. Bömer,

stato dei misteri o della festa. Ad Atene, nelle Thesmoforie la restrizione è rigidissima, in quanto la partecipazione è limitata, come si è detto, non solamente alle cittadine, ma alle mogli legittime in quanto generatrici di γνησίων παίδων ([52]): festa delle donne sposate legalmente, si contrappone, nel V sec., alle Adonie, la festa delle etere ([53]): nelle Haloe, tuttavia, che sono al pari delle Thesmoforie una festa della fecondazione, è permessa la partecipazione delle etere ([54]). Tutto questo fa pensare quindi che anticamente le Thesmoforie in quanto feste agrarie, feste campestri, erano probabilmente una festa « aperta ». Quando s'è avuto l'intervento della πόλις per regolare la festa, ad Atene sono state escluse tutte quelle donne, etere, παλλακαί, straniere, schiave, che nell'ambito di una città che vuole garantire, nei termini in cui si è detto sopra, la propria riproduzione, erano incapaci di garantirla. Ad Eretria, invece, deve essere avvenuto il processo contrario: se Plutarco parla di prigioniere, possiamo immaginare che ad Eretria fossero appunto presenti altre categorie femminili che non le cittadine a tutti gli effetti: ma a questo punto esse potevano prendere parte alla festa solamente a condizione di restare escluse da quelli che erano i simboli della riproduzione della vita umana; il fuoco, l'ἑστία e la celebrazione di Kalligeneia ([55])

Ci troviamo davanti così ad Eretria ad un momento della festa prepolitico equivalente alla partecipazione di tutto l'elemento femminile, che l'avvento della πόλις ha bloccato e regolato con la mutilazione di una parte della festa stessa.

Luisa Breglia Pulci Doria

---

op. cit., p. 355 ss., col fatto che si tratterebbe di una festa della popolazione precedente, poi sottomessa, e che sarebbe stata poi riconosciuta dal popolo sopraggiunto.

(52) Cf. il già citato Men. Per. fr. 720.

(53) Cf. le opposizioni segnalate dal Detienne, I giardini di Adone, cit., p. 98 ss.

(54) Cf. Deubner, op cit., p. 62 n. 2; id., AA, 1936, col. 339.

(55) Dal focolare domestico gli stranieri in genere erano esclusi: cf. Proem. gr. I: Zenob. IV, 44; Diog. II, 40.

IL MITO DI FONDAZIONE DEL RITUALE MUNICHIO
IN ONORE DI ARTEMIS

1. La fortuna del mito di fondazione del rituale munichio, sia nella tradizione antica che negli studi moderni (¹), è pressoché nulla: infatti, ad esso, confuso con il culto ufficiale di Brauron, è stata negata quasi concordemente, una identità cultuale indipendente. Questo appiattimento della realtà munichia su quella brauronia, è testimoniato in fonti di tipo lessicografico, su cui si è costruita tale omogeneità, annullando gli elementi distintivi, pur presenti. Riferiscono a Munichia il caratteristico rituale dell'ἀρκτεία(²), proprio di Brauron, lo scolio I (³) alla « Lisistrata » v. 645, Arpocrazione s. v. ἀρκτεῦσαι (anche se qui in forma dubitativa: τὸ καθιερωθῆναι... τῇ Ἀρτέμιδι τῇ Μουνιχίᾳ ἢ τῇ βραυρωνίᾳ) e Bekker, An. Gr., I, 444. Quest'ultima, di enorme interesse per la nostra analisi, lascia trasparire chiaramente, attraverso contraddizioni inesplicabili altrimenti, come questa tradizione (o le sue fonti) deformi, combinando un mito e un rito originariamente distinti. Il λόγος mitico che è tramandato, infatti, non è più quello di Brauron che le fonti dello scolio III e Suida s. v. ἄρκτος ἢ Βραυρωνίοις testimoniano, ma il suo nucleo, una tradizione paroemiografica e lessicografica introduce a proposito di un uso proverbiale: come un certo Embaros o Baros, in seguito all'uccisione di un'orsa, sacrilegio che bisognava espiare, avesse eluso il dettato divino, sacrificando al posto della figlia richiesta, una capra travestita, e tutto questo aveva fatto per assicurarsi la carica sacerdotale a vita. Invece, il rito indicato dal volere dell'oracolo, incredibilmente è l'ἀρκτεία. Ma, all'analisi dettagliata di questa tradizione, decisamente stratificata e combinatoria, è bene far precedere lo studio sul gruppo di fonti in cui non c'è relazione con l'αρκτεία

---

(1) Svilupperò oltre il confronto con le posizioni più significative del dibattito moderno su questo problema.

(2) Il rituale dell'ἀρκτεία prevedeva la reclusione temporanea di fanciulle dai cinque ai dieci anni, nel tempio della dea Artemis a Brauron e la mimesi teriomorfica di esse, preliminare al matrimonio (cf. A. Brelich, *Paides e Parthenoi*, Roma, 1969, pp. 240-279 e un mio lavoro, « L' ἀρκτεία a Brauron », di prossima pubblicazione in *SSR* III, 2, 1979, in cui particolare attenzione è stata data all'analisi delle strutture delle tradizioni mitiche, secondo una lettura diacronica di esse).

(3) La tradizione che qui indico con scolio I, corrisponde alle abbreviazioni relative agli scoli alla « Lisistrata » v. 645, già adottate dal Brelich, *op. cit.*, p. 248.

(Paus, gr. in Eustath., Il. II, 732; Apostol. VII, 10; Suida s. v. Ἔμβαρός εἰμι; Appendix prov. II, 54), le cui divergenze interne sono di minimo rilevo.

a) Paus. in Eustath. Il. II, 732 (4): ὁ δ'αὐτὸς Παυσανίας ἱστορεῖ καί τινα Ἔμβαρον ἐπὶ εὐχῇ σοφίσασθαι. ἱδρύσατο γάρ, φησι, μουνυχίας Ἀρτέμιδος ἱερόν· ἄρκτου δὲ γενομένης ἐν αὐτῷ καὶ ὑπὸ Ἀθηναίων ἀναιρεθείσης, λοιμὸς ἐπεγένετο, οὗ ἀπαλλαγὴν ὁ θεὸς ἐχρησμῳδησεν, εἴ τις τὴν θυγατέρα θύσει τῇ Ἀρτέμιδι, βάρος δὲ ἢ ἔμβαρος ὑποσχόμενος οὕτω ποιήσειν ἐπὶ τῷ τὴν ἱερωσύνην τὸ γένος αὐτοῦ διὰ βίου ἔχειν, διακοσμήσας τὴν θυγατέρα, αὐτὴν μὲν ἀπέκρυψεν ἐν τῷ, ἀδύτῳ, αἶγα δὲ ἐσθῆτι κοσμήσας ὡς τὴν θυγατέρα ἔθυσεν. ὅθεν εἰς παροιμίαν, φησί, περιέστη, ἔμβαρος εἶ, τουτέστι νουνεχής, φρόνιμος.

Qui, la fonte, oltre a fornire la duplice versione del nome di questo astuto personaggio, il cui valore etimologico può essere significativo ai fini della comprensione dell'uso proverbiale, rende, unica tra le altre, più esplicito e chiaro dove la figlia fu nascosta (ἐν τῷ ἀδύτῳ) e infine conferma come univoco il giudizio delle azioni di Embaros e quindi di Embaros stesso, rifiutando l'ambiguità di altre testimonianze riflessa anche in due glosse di Esichio s. v. Ἔμβαρος· ἠλίθιος - μῶρος ἢ νουνεχής· Μένανδρος Φάσματι. Esichio s. v. οὐχ Ἔμβαρος εἶ · οὐ φρονεῖς · ἀπὸ τοῦ Ἐμβάρου φρονήσεως.

Pausania, infatti, conclude il λόγος dicendo che il fatto divenne proverbiale e specificando in che senso.

b) Apostol. VII, 10: Ἔμβαρος εἰμί· ἦν πρότερον ὁ Πειραιεὺς νῆσος· ὅθεν καὶ τοὔνομα εἴληφεν, ἀπὸ τοῦ διαπερᾶν · οὗ τὰ ἄκρα Μούνυχος κατασχὼν Μουνυχίας Ἀρτέμιδος ἱερὸν ἱδρύσατο. ἄρκτου δὲ γενομένης ἐν αὐτῷ καὶ ὑπὸ τῶν Ἀθηναίων ἀναιρεθείσης, λιμὸς ἐπεγένετο. οὗ τὴν ἀπαλλαγὴν ὁ θεὸς ἔχρησεν ἂν τις τὴν θυγατέρα θύσῃ τῷ θεῷ. Ἔμβαρος δὲ μόνος ὑποσχόμενος ἐπὶ τῷ τὴν ἱερωσύνην αὐτοῦ τὸ γένος διὰ βίου ἔχειν, διακοσμήσας αὐτοῦ τὴν θυγατέρα ἔθυσεν · ὅθεν καὶ εἰς παροιμίαν περιέστη. τάττεται δὲ ἐπὶ τῶν παραπαιόντων καὶ μεμηνότων.

Qui, la tradizione è identica nella forma alla precedente, tranne nel riferimento del sacrificio della fanciulla non τῇ θεῷ ma τῷ θεῷ (variante probabilmente imputabile ad errore di scrittura o trasmissione o a non distinzione dello scoliasta

---

(4) Paus. gr. in Eustath., Il. II, 732: « Lo stesso Pausania racconta che un certo Embaros agì scaltramente a proposito di un voto fatto. Infatti, egli dice, elevò il tempio di Artemis, e un'orsa, venuta in questo, e uccisa dagli Ateniesi, ci fu una pestilenza; dalla quale il dio vaticinò la liberazione, se qualcuno avesse sacrificato la figlia ad Artemis; Baros o Embaros, avendo accettato a patto che il suo γένος avesse la carica sacerdotale a vita, avendo adornato la figlia, nascose questa nel tempio, poi, vestita una capra come sua figlia, la sacrificò. Da questo, dice, nacque il proverbio: sei Ἔμβαρος, cioè saggio, assennato ».

tra la dea e il dio e nello straordinario esito dell'episodio che vede Embaros uccisore della propria figlia, fatto che potrebbe giustificarsi con la caduta di tredici parole all'interno del periodo, come in via d'ipotesi propone il Brelich ([5]) o, come egli stesso in alternativa suggerisce, intendendola come anomalia dovuta alla volontà del paroemiografo di spiegare la « follia » di Embaros, coerentemente all'uso proverbiale qui riferito ai folli e ai dissennati; e come conseguenza del fatto che Apostolio ignora del tutto il rapporto tra il sacrificio della figlia e la finzione delle « orse » e tutto si rivolge alla vicenda di Embaros e del sacrificio ereditario.

c) Suid. Ἔμβαρός εἰμι· νουνεχής, φρόνιμος. ἦν πρότερον ὁ Πειραιεὺς νῆσος· ὅθεν καὶ τοὔνομα εἴληφεν ἀπὸ τοῦ διαπερᾶν · οὗ τὰ ἄκρα Μούνυχος κατασχὼν Μουνυχίας Ἀρτέμιδος ἱερὸν ἱδρύσατο. ἄρκτου δὲ γενομένης ἐν αὐτῷ καὶ ὑπὸ τῶν Ἀθηναίων ἀναιρεθείσης λιμὸς ἐπεγένετο · οὗ τὴν ἀπαλλαγὴν ὁ θεὸς ἔχρησεν, ἄν τις τὴν θυγατέρα θύσῃ τῇ θεῷ. Βάρος δὲ μόνος ὑποσχόμενος ἐπὶ τῷ τὴν ἱερωσύνην αὐτοῦ τὸ γένος διὰ βίου ἔχειν, διακομήσας αὐτοῦ τὴν θυγατέρα αὐτὴν μὲν ἀπέκρυψεν ἐν τῷ αὐτῷ, αἶγα δὲ ἐσθῆτι κοσμήσας ὡς τὴν θυγατέρα ἔθυσεν. ὅθεν καὶ εἰς παροιμίαν περιέστη. τάττεται δὲ ἐπὶ τῶν παραπαιόντων καὶ μεμηνότων.

La fonte è l'esatta trascrizione della precedente (unica divergenza nell'ἀπέκρυψεν ἐν τῷ αὐτῷ, anziché ἐν τῷ ἀδύτῳ, dovuto probabilmente ad un processo di corruzione della tradizione); conserva la massima ambivalenza dell'uso proverbiale, come la già precedente: Ἔμβαρός εἰμι: sono saggio, assennato (νουνεχής-φρόνιμος) — mito — uso proverbiale con valore contrappositivo nei confronti dei folli e dissennati (τάττεται δὲ ἐπὶ τῶν παραπαιόντων καὶ μεμηνότων).

d) *Append. prov.* II, 54: Ἔμβαρός εἰμι · ἐπὶ τῶν παραπαιόντων καὶ μεμηνότων. Λιμοῦ γάρ ποτε κατασχόντος τοὺς Ἀθηναίους προεῖπεν αὐτοῖς ὁ θεὸς ἔσεσθαι τούτου λύσιν, εἰ ἐπιδοίη τις εἰς σφαγὴν τὴν ἑαυτοῦ θυγατέρα τῇ Μουνυχίᾳ Ἀρτέμιδι. Ὁ Ἔμβαρος τοίνυν εἰς ἀμοιβὴν τὴν ἱερωσύνην τῆς θεοῦ ἑαυτῷ καὶ τοῖς ἐγγόνοις αἰτήσας, ὑπέσχετο δώσειν τὴν θυγατέρα. ψηφισαμένων δὲ τῶν Ἀθηναίων τοῦτο, αἶγα ἀντὶ τῆς θυγατρὸς κοσμήσας εἰς θυσίαν ταύτην τῷ βωμῷ προσήγαγεν. Ἐχρήσαντο γοῦν τῇ παροιμίᾳ οἱ Ἀθηναῖοι ἐπὶ τῶν παραπαιόντων.

Questa tradizione si diversifica dalle altre non nei contenuti, ma formalmente: essa è essenziale, coerente al suo fine, completa. Nel ψηφισαμένων δὲ τῶν Ἀθηναίων, si desume la posizione ufficiale degli Ateniesi nei confronti di Embaros: momento più tardo dell'istituzione; e inoltre, manca il motivo della segregazione della ragazza che sarebbe un elemento non necessario al λόγος di questa fonte.

---

(5) A. Brelich, *op. cit.*, p. 250 n.45.

Elementi in più sono in An. Gr., Bekk. I, 444 ([6]): Ἀρκτεῦσαι: Λυσίας τὸ καθιερωθῆναι πρὸ γάμων τὰς παρθένους τῇ Ἀρτέμιδι ἀρκτεύειν ἔλεγε. καὶ γαρ αἱ ἀρκτευόμεναι παρθένοι ἄρκτοι καλοῦνται ὡς Εὐριπίδης καὶ Ἀριστοφάνης · καὶ ἄλλως ἀρκτεῦσαι λέγεται τὸ ὥσπερ ἄριστον ἀφοσιώσασθαι τῇ Ἀρτέμιδι καὶ θῦσαι. ἐρρήθη δὲ ἐκ τοῦ ἄρκτον ποτὲ φανῆναι, ὡς λόγος, ἐν Πειραιεῖ καὶ πολλοὺς ἀδικεῖν, εἶτα ὑπὸ νέων τινῶν αὐτὴν ἀναιρεθῆναι, καὶ λοιμὸν ἐπιγενέσθαι, χρῆσαί τε τὸν θεὸν τιμᾶν τὴν Ἄρτεμιν καὶ θῦσαι κόρην τῇ ἄρκτῳ. τῶν οὖν Ἀθηναίων πράττειν τὸν χρησμὸν μελετώντων, εἷς τις ἀνὴρ οὐκ εἴα, αὐτὸς εἰπὼν καταθύσειν. ἔχων οὖν αἶγα καὶ ὀνομάζων ταύτην θυγατέρα, ἔθυσε λάθρα · καὶ ἐπαύσατο τὸ πάθος. εἶτα τῶν πολιτῶν διαπιστούντων ἔφη ὁ ἀνὴρ ἐπερωτᾶν τὸν θεόν. τὸν δὲ ἂν εἰπόντα θῦσαι καὶ τὸ λοιπὸν οὕτως ποιεῖν φήσαντος, ἐξεῖπε τὸ λάθρα γεγονός. καὶ ἀπὸ τούτου αἱ κόραι πρὸ τοῦ γάμου ἀρκτεύειν οὐκ ὤκνουν, ὥσπερ ἀφοσιούμεναι τὰ τῆς θηρίας.

Ma la divergenza fondamentale tra il gruppo di fonti precedentemente analizzato e quest'ultima, risiede, come già accennato, nel riferimento del λόγος di Embaros all'ἀρκτεία. Infatti, il mito si svolge tra due note che si riferiscono precisamente a questo particolare rituale: la prima definizione di questa istituzione la si ritrova identica in Arpocrazione ([7]) che in più cita le opere di Aristofane ed Euripide, e le sue più immediate fonti, tra cui Cratero. E poiché già la definizione dell'ἀρκτεῦσαι, la cui fonte è Didimo-Lisia, riferisce questo rituale pre-

---

(6) Bekker, *An. Gr.* I, 444: « Lisia definiva ἀρκτεῦσαι, il consacrarsi prima del matrimonio delle παρθένοι ad Artemis. E infatti, le fanciulle che ritualmente fanno le « orse », come si trova in Euripide e Aristofane. E anche altrimenti è definito l'ἀρκτεῦσαι come il miglior modo per liberarsi dell'empietà verso Artemis. Come racconta il λόγος, un'orsa una volta apparve nel Pireo e danneggiò molti, perciò fu uccisa da alcuni giovani, e ci fu una pestilenza, e l'oracolo ordinò di onorare Artemis e di sacrificare una fanciulla all'orsa. Mentre dunque gli Ateniesi erano intenzionati ad obbedire all'oracolo, solo un uomo non lo permise, avendo detto che egli stesso avrebbe sacrificato. Dunque, presa una capra e chiamando questa figlia, la sacrificò di nascosto; e il male cessò. Poi, poiché i cittadini diffidavano, l'uomo disse di interrogare il dio. Il quale dopo aver detto che compisse il sacrificio colui che aveva detto di compierlo e che si facesse così per l'avvenire, rivelò ciò che era accaduto di nascosto. E da quel tempo le fanciulle non esitarono prima del matrimonio ad essere " orse ", per liberarsi del sacro della ferinità ». (Altri propongono: « per espiare il fallo contro la fiera »).

(7) Harp *s.v.* Λυσίας ἐν τῷ ὑπὲρ Φρυνίχου θυγατρός, εἰ γνήσιος, τὸ καθιεμωθῆναι πρὸ γάμων τὰς παρθένους τῇ Ἀρτέμιδι τῇ Μουνυχίᾳ ἢ τῇ Βραυρωνίᾳ τὰ δὲ συντείνοντα εἰς τὸ προκείμενον εἴρηται παρά τε ἄλλοις καὶ Κρατερῷ ἐν τοῖς Ψφίσμασιν. ὅτι δὲ αἱ ἀρκτευόμεναι παρθένοι ἄρκτοι καλοῦνται, Εὐριπίδης Ὑψιπύλῃ, Ἀριστοφάνης Λημνίαις καὶ Λυσιστράτῃ.

matrimoniale ad Artemide Brauronia o Munichia; la confusione-equivalenza dei rituali, attestata in Bekker, An. gr., doveva essere più antica.

Il secondo riferimento poi, (καὶ ἀπὸ τούτο αἰ κόραι πρὸ γάμου αρκτεύειν οὐκ ὤκνουν, ὥσπερ ἀφοσιούμεναι τὰ τῆς θηρίας), che non trova simili altrove, contiene quel verbo ἀφοσιοῦσθαι dal significato ambivalente (ambivalenza propria delle categorie del sacro: purificarsi-liberarsi del sacro [8]) che trova il suo « pendant », probabilmente, nella straordinaria chiusa circolare della fonte, che termina con un singolare astratto θηρὶα, *hapax* nella lingua greca.

2. Questa tradizione degli An. Gr. è stata studiata da A. Brelich in maniera puntuale; infatti, è l'analisi di questa testimonianza che gli offre la possibilità di ipotizzare reali i due riti dell'ἀρκτεία, a Brauron e a Munichia. Può essere interessante seguire puntualmente il discorso dell'autore e i passaggi attraverso i quali arriva a sostenere la sua tesi: 1) il mito del rituale sacrificio della κόρη « senza la relazione con l'ἀρκτεία è privo di senso: esso è l'αἴτιον — o meglio — il mito di fondazione dell'istituzione delle ἄρκτοι » [9]. 2) « dato, dunque, che sia le funzioni delle ἄρκτοι sia il relativo mito sono localizzati nei due santuari di Artemis, non è giustificato voler appurare in quali di essi esisteva l'istituzione: non vi è infatti, alcuna ragione cogente per escludere « a priori » e contro quanto i testi « prima facie » attestano, che la stessa istituzione vigesse in due luoghi sacri della stessa dea situati fuori della città di Atene » [10].

Lo stesso Brelich del resto, ammette che la fonte degli An. Gr. attingeva a tradizioni diverse da quelle delle altre fonti; nota, infatti, degli elementi di novità: la ragazza è sacrificata all'orsa e non alla dea; il nome di Embaros non è menzionato, ma è εἷς τις ἀνὴρ anonimo; nuova la scena degli Ateniesi che cercano di eseguire ciò che era stato richiesto dall'oracolo; nuovo è il non alludere alla ricompensa da parte di chi si offre di eseguire il dettato divino; nuovo il suo chiamar figlia la capra; nuova la diffidenza dei cittadini; l'ordine di ripetere gli atti del rito e l'introduzione dell'αρκτεῦσαι come rito di reintegrazione. Ma lo studioso ugualmente insiste nel voler vedere le relazioni fra le tradizioni che riguardano Brauron e quelle pertinenti Munichia: infatti, egli nota che « 1) entrambi i gruppi di testi vertono sulla fondazione del culto di Artemide (Brauronia o Munichia); 2) entrambi partono dall'uccisione di un'orsa; 3) esiste un testo (An. Gr.), in cui gli elementi fondamentali di entrambi i gruppi sono pre-

---

(8) *Cf.* L. Gernet - A. Boulanger, *Le génie grec dans la religion*, Paris, 1932, p. 193.
(9) A. Brelich, *op. cit.*, p. 247.
(10) A. Brelich, *op. cit., ibidem*.

senti »: l'istituzione dell'ἀρχτεία (che manca nel primo gruppo Embaros-Baros); l'ordine del sacrificio della fanciulla e l'espediente di chi se ne incarica (che manca nel gruppo sull'ἀρχτεία brauronia). Secondo Brelich, dunque, « considerando i due gruppi di testi come documenti parziali di un'unica tradizione » si spiegano le rispettive lacune: le differenze dei due gruppi sarebbero determinate dai loro diversi scopi. « Eusth., Suid., Apost., App., mirano a spiegare i diversi modi di dire proverbiali, in cui incorre il nome di Embaros », quindi, « inutile sarebbe ricordare anche l'istituzione dell'ἀρχτεία » (¹¹). Così, Suida *s. v.* ἄρχτος ἤ Βραυρωνίοις e lo scolio alla « Lisistrata », che vogliono spiegare l'istituzione dell'ἀρχτεία, non hanno interesse a menzionare i fatti di Embaros. E questo potrebbe provarsi nella fonte degli An. Gr., in cui nello spiegare l'istituzione si tace il nome del personaggio perché non centrale nel discorso. Quindi la fonte più completa sarebbe proprio quella degli An. Gr. Anche se poi lo stesso Brelich è costretto a riconoscere che la costruzione intera del racconto sulla base di questa fonte è complicata; problema per lo studioso è mettere insieme gli ordini dell'oracolo: questo cosa ha ordinato? « Il sacrificio di una fanciulla o l'istituzione dell'ἀρχτεία? » La risposta è che « potrebbero essere vere entrambe le cose », ma poiché non è attestato, bisogna « rinunciare alle forzature arbitrarie e riconoscere nelle divergenze dei due testi due « varianti » dell'oracolo della stessa tradizione: secondo l'una, l'oracolo ha ordinato il sacrificio di una vergine, secondo l'altra il servizio di ἀρχτεία per tutte le vergini » (¹²). Infatti, — continua — « a differenza delle divergenti versioni di un fatto storico, le divergenti versioni di un fatto mitico, non si escludono a vicenda; nel mito tutto è « vero » — cioè significativo — anche ciò che è contraddittorio ». Il Brelich ammette « possibilità di alterazioni dovute alla trasmissione esattamente come per i fatti storici; ma all'ipotesi di alterazione di questo genere si è costretti a ricorrere solo nel caso che una versione non " dia senso " dal punto di vista mitologico; finché non si constata l'impossibilità di interpretare le versioni differenti di un mito, esse vanno considerate come varianti ugualmente autentiche. Contraddittorie sul piano logico, sul piano mitico esse si integrano, se sottolineano aspetti differenti della stessa realtà a cui il mito si riferisce; si equivalgono se esprimono in forma differente la stessa idea mitica » (¹³). Il Brelich, ancora, pur notando che sul culto di Brauron e Munichia il rapporto tra le varianti non appare subito evidente (sacrificio di una fanciulla — ἀρχτεία di tutte le fanciulle) afferma che: 1) « in

---

(11) A. Brelich, *op. cit.*, pp. 253-54.
(12) A. Brelich, *op. cit.*, p. 254.
(13) A. Brelich, *op. cit., ibidem*.

entrambe le varianti si tratta di espiare il misfatto dell'uccisione dell'orsa »;
2) « il mezzo di espiazione è il sacrificio » della fanciulla, quindi nel primo caso
la fanciulla deve subire la stessa sorte dell'orsa, nel secondo caso tutte le fanciulle devono essere « orse »; cioè in entrambe le versioni « bisognava ritualmente
mettere le ragazze al posto dell'orsa » (14), e in entrambi i casi la morte è solo
rituale; nel secondo caso, l'espiazione generalizzata, è attenuata perché non chiede
morte, ma il sacrificio reale è limitato alla capra. Rispetto al quale, del resto, il
Brelich giustamente rifiuta di vedere nella variante munichia, l'αἴτιον del sacrificio di capra del culto brauronio. Infatti, il rapporto non è istituzione dell'ἀρχτεία
e normale sacrificio di capra, ma istituzione dell'ἀρχτεία — sacrificio di fanciulla,
« ordinato dall'oracolo ed eluso dal sacrificante ».

L'analisi del Brelich, di cui ho sintetizzato i punti salienti, è estremamente
ben costruita, ma lascia il dubbio che una lettura diacronica delle varianti mitiche
possa spiegare le contraddizioni che, in realtà, sussistono. Infatti ritengo che le
analogie tra la tradizione legata al Pireo e quella che si riferisce a Brauron, non
devono condizionare, rientrando nell'ambito delle affinità tra i culti: infatti, pur
se un mito è relativo all'ἀρχτεία, e l'altro, gentilizio è connesso semmai, alla
identità capra-χόρη, si tratta pur sempre di culti attici, entrambi legati ad Artemide, entrambi legati alle παρθένοι e quindi al problema della loro morte rituale
per essere pronte al γάμος.

Sostenitore, invece, dell'ipotesi di culti distinti e diversi a Brauron e a Munichia è stato L. Deubner (15), le cui argomentazioni di tipo strettamente filolo-
gico non possono essere trascurate. La sua tesi è in polemica diretta con il
Mommsen e il Pfuhl, i quali ritenevano affini ed equivalenti i due culti, di cui
protagoniste sarebbero state sempre le « orse ». D'accordo con lo Stengel, L.
Deubner nota che i punti su cui si è costruita l'identità dei due riti sono essenzialmente due: 1) la relazione tra le ἄρχτοι ed Artemis Munichia, attestata solo
in due passi; 2) il sacrificio di capra, proprio del rito munichio, ma attestato nelle
brauronie da Esichio. Per quanto riguarda il primo punto, tuttavia, nota Deubner,
se è vero che lo scolio, che spiega l'ἀρχτεῦσαι, si riferisce in maniera chiara ad
entrambi i culti, è anche vero che in Arpocrazione l'ἀρχτεῦσαι è spiegato come
il χαθιερωθῆναι πρὸ γάμων τὰς παρθένους τῇ Ἀρτέμιδι τῇ Μουνιχίᾳ ἢ τῇ Βραυρωνίᾳ.

Ora, le fonti a cui Arpocrazione fa esplicitamente riferimento, in particolare
sono gli Ψηφίσματα di Cratero. « Quindi più antico era il dubbio, ed è possi-

(14) A. Brelich, op. cit., p. 255.
(15) L. Deubner, Ättische Feste, Berlin, 1907, pp. 205-208.

bile che il responsabile ἤ, risultato da un più ampio studio delle fonti, fu sostituito ad un certo punto dal compromesso καί. Ne consegue che la tradizione dello scolio alla « Lisistrata » non può servire come pezza d'appoggio per collegare il culto munichio con le ἄρκτοι ». Ugualmente, riguardo al sacrificio di capra della leggenda munichia: « la capra è in genere una vittima prediletta di Artemis: la sua presenza quindi, non allude mai ad un culto specifico della dea. Ma altrettanto illusorio è il collegare la leggenda munichia con le ἄρκτοι, come nella versione degli An. Gr. La conclusione di questa versione si fonda chiaramente sulla contaminazione con le leggende eziologiche che venivano narrate per spiegare l'istituzione delle Brauronie e non riguardavano per nulla Munichia » (16).

Non concordo in tutto sulle ipotesi del Deubner, anche se mi sembra giusto distinguere per l'antico i due rituali; non so però se l'ἤ o il καί, che del resto non sono necessariamente in contraddizione, siano riflesso di una più tarda trasposizione degli elementi formali del culto di Brauron a Munichia, o piuttosto significhino che le due feste originariamente diverse, possano essersi col tempo confuse in maniera complementare (17).

3. Il riferimento ai contributi più significativi rispetto a questo tema, è stato funzionale alla determinazione ed individuazione dei problemi relativi a tali culti, le cui fonti, per la definizione della mia posizione, dovrò necessariamente riprendere. Queste erano state precedentemente distinte in due gruppi, distinzione che manterrò: 1) Bekker, *An. Gr.* I, 444; 2) Paus. in Eustath. Il. II, 732; Apostol. VII, 10; Suid. *s. v.* Ἐμβαρός εἰμι; App. prov. II, 54.

L'analisi di questi testi ritengo che permetta una lettura diacronica di esse, nel senso che la tradizione di Embaros riflette una realtà più arcaica; e questo maggiormente si evidenzia dal confronto con la fonte degli An. Gr. In quest'ultima, il riferimento spaziale al Pireo, anziché al tempio di Artemis Munichia, la colpa dell'orsa che danneggia, la reazione di alcuni giovani (non degli Ateniesi) che la uccidono; la peste e la richiesta di onorare Artemis e di una παρθένος da sacrificare all'orsa (e non di una θυγάτηρ, come nell'altra tradizione); l'intervento di εἷς τις ἀνήρ, anonimo ormai; il riserbo della comunità, la san-

---

(16) L. Deubner, *op. cit.*, p. 206.

(17) L'equivalenza Brauronie-Munichie, invece, acriticamente viene accettata da H. Jeanmaire nel suo studio sulle iniziazioni puberali (*Couroi et Courètes*, Lille, 1934, pp. 258-264), ed inserita in margine, senza farla oggetto di ulteriori approfondimenti, è la connessione delle ἀλετρίδες al rito munichio, relazione estremamente interessante, che si deve almeno in via problematica prospettare.

zione della divinità rispetto al rituale dell'ἀρκτεία tradiscono il livello più tardo della comunità dei πολῖται.

Il mondo di Embaros, invece, sembra essere più antico: il rapporto con il γένος gentilizio, di cui è il mitico esponente, è centrale nello sviluppo del mito; e la relazione con la comunità è significativa e coerente con questa atmosfera: la comunità si affida ad Embaros, come non avviene nell'altra tradizione, dove la diffidenza dei πολῖται è la diffidenza della comunità organizzata della πόλις nei confronti dell'individuo. Anche negli atti del rito (il che è estremamente rilevante), che dalle tradizioni mitiche si individuano, c'è diversità, spiegabile solo in senso diacronico: infatti, in Bekker, *An. Gr.*, ἔχων ουν αἶγα, καὶ ονομάζων ταύτην θυγατέρα, ἔθυσε λάθρᾳ è la sbrigativa soluzione almeno inizialmente individuale; nell'altro gruppo si legge:

1) διακοσμήσας τὴν θυγατέρα αὐτὴν μὲν ἀπέκρυψεν ἐν τῷ ἀδύτῳ;

2) αἶγα δὲ ἐσθῆτι κοσμήσας ὡς τὴν θυγατέρα ἔθυσεν.

Il sacrificio di Embaros, dunque, segna il momento della nascita dell'istituzione del rituale (non dell'ἀρκτεία) che prevede due momenti distinti: reclusione della fanciulla — rito ufficiale di sostituzione; mentre nel sacrificio dell'εἶς τις ἀνήρ non c'è travestimento rituale (anche se il « chiamare », invece del κόσμος, simbolicamente esprime lo stesso atto), ma, di nascosto della comunità dei πολῖται, di cui solleva la diffidenza, si celebra il rituale di sostituzione che elude l'ordine.

L'ambito arcaico in cui avvengono gli « atti » di Embaros trova conferma negli atti stessi, che hanno senso solo se interni ad un mondo in cui la categoria del magico è dominante. Infatti, il sacrificio umano richiesto nel mito, è funzionale al recupero dei piani umani di interazione con la divinità che la πόλις individua nello ἀφοσιούμεναι τὰ τῆς θηρίας, sconvolti dalla uccisione non rituale della belva sacra, che ha precipitato la comunità nuovamente nell'informale, nella ferinità, cioè nel rischio del dissolvimento del Sé sociale [18]. La peste, risposta a questo atto dissolutore, è il segno del ritorno al caos, al non costituito. La comunità, per liberarsi del « sacro della ferinità », che ha scatenato con il sacrilegio, deve ricostituire il κόσμος attraverso il sacrificio. L'oracolo, mediatore per il recupero dei livelli umani, indica la παρθένος e, come a Brauron, è la sua ferinità ed informalità (poiché figura rispetto all'adulto, non socialmente determinata, non « formata » prima dell'iniziazione) che deve essere sacrificata per restaurare il dialogo tra gli dei (natura) e gli uomini.

---

(18) « Il dramma storico del mondo magico » relativo all'angoscia del « perdersi » individuale e sociale e alla necessità del « riscatto » da parte delle comunità arcaiche e primitive attraverso la creazione di forme cultuali contro il rischio di « non esserci », è finemente compreso e sviluppato in E. de Martino, *Il mondo magico*, Torino, 1973, pp. 91-198.

L'astuzia di Embaros impedisce che il sacrificio reale della fanciulla si faccia, sacrificio a cui la comunità, invece, era disposta come prezzo della colpa. Il suo « inganno » dunque, diventa emblematico dell'atto rituale del sacrificio, che « appare già come modello magico dello scambio razionale, un espediente degli uomini per dominare gli dei, che vengono rovesciati proprio dal sistema degli onori che loro si rendono » [19]. Da un certo tempo in poi, « tutti i sacrifici degli uomini », come quello di Embaros, « eseguiti secondo un piano, ingannano il dio a cui sono destinati: lo subordinano al primato degli scopi umani » [20]. È T. Adorno che sottolinea il momento in cui l'uomo, nel recupero del suo sé, separato dalla natura, scopre che « la comunicazione simbolica con la divinità attraverso il sacrificio, non è reale », e « antichissima deve essere stata questa esperienza; l'astuzia ha origine nel culto » [21]. La formula dell'astuzia di Embaros, come di quella di Odisseo, « è proprio quella che lo spirito separato, strumentale, aderendo docilmente alla natura, dà ad essa quello che le appartiene e così facendo la inganna ». Come Odisseo, « egli soddisfa alla norma giuridica in modo che essa perde il suo potere su di lui nell'atto stesso in cui glielo riconosce »: la capra è chiamata figlia e il chiamare determina la realtà stessa, atto significativo di un « ambito delle concezioni, in cui rientrano i decreti fatali invariabilmente compiuti dalle figure mitiche, che non conosce ancora la differenza tra parola, cosa e oggetto. La parola sembra avere potere immediato sulla cosa, espressione e significato si confondono. Ma l'astuzia si attacca alla parola per trasformare la cosa. Nasce così la coscienza del significato » [22]. Embaros è saggio perché sfida la divinità e vince, creando l'istituzione; la sua astuzia segna il momento decisamente arcaico [23], caratterizzato dal potere della magia, già dominante nell'Odissea.

4. Orsa-capra, polarità sacrificali, presenti nel mito, esprimono la dialettica interna ad esso, di cui Embaros segna il momento di sintesi e mediazione: (natura-orsa-fanciulla-capra)-(sacrificio-Embaros)-(cultura-donna).

---

(19) M. Horkheimer - T. W. Adorno, *Dialettica dell'Illuminismo*, Torino, 1974, p. 59.
(20) M. Horkheimer - T. W. Adorno, *op. cit., ibid.*
(21) M. Horkheimer - T. W. Adorno, *op. cit.*, p. 60.
(22) M. Horkheimer - T. W. Adorno, *op. cit.*, p. 67.
(23) M. Horkheimer - T. W. Adorno, *op. cit.*, pp. 68-69, n. 59: « l'astuzia come mezzo di scambio dove tutto avviene secondo le regole, dove il contratto è rispettato e la controparte tuttavia viene ingannata, rimanda ad un tipo di economia che, se non nella preistoria mitica, appare almeno nella prima antichità arcaica, l'antichissimo " scambio occasionale " fra economie domestiche chiuse ».

La capra, come abbiamo già visto, è presente pure nel rito ad Artemis a Brauron, così come a Munichia, così come del resto, è spesso vittima sacrificale di questa divinità. Nelle tradizioni mitiche, questo animale era associato al maiale, come vittima sacrificale della πόλις, in opposizione al divieto di uccidere il bue (tranne nelle Bufonie) e la pecora. Questa distinzione codificata particolarmente nel sistema pitagorico, nasceva in base al criterio di domesticità: « in molte leggende di Atene e di Eleusi sul primo sacrificio di animali, il maiale e la capra sono stati uccisi per aver commesso una colpa ai danni di Demetra e Dioniso. Il maiale ha devastato le messi, ha danneggiato i doni di Demetra; la capra ha brucato la vigna di Dioniso... I primi animali sacrificali si sono resi colpevoli di un'ingiustizia nei riguardi della specie umana e della vita civile... sono stati sacrificati per il loro carattere nocivo che corrisponde alla loro natura a metà selvatica » [24].

In questa codificazione religiosa e politica, la relazione Artemis-capra-donna, acquista un senso pregnante: come la capra metà domestica-metà ferina, così la donna, le cui caratteristiche di « semiferinità » richiedono l'iniziazione, così Artemis è connotata dalle stesse caratteristiche di domesticità e ferinità, nelle valenze di divinità di una comunità che possiede ἄρουραι cerealicole e φυτά di viti; φυτά che spesso sorgevano proprio nell'ἐμφύευσις, che è anche il regno dell'ἐσχατιά. Così, l'ambivalenza dello spazio destinato ad Artemis, interna ed esterna alla πόλις, trova il suo parallelo in quello della capra che vive, infatti, « in branchi all'aperto sulla terra incolta, separata dal gruppo umano e lontano dalle abitazioni, il più selvatico degli animali domestici » [25]. Il sacrificio di capra travestita che avveniva a Munichia, è più specifico e complesso, diventando l'elemento distintivo del culto, significativo di ambiti particolari [26] che la presenza di questo animale nella mimesi femminile finisce col designare, e acquistando una pregnanza propria, sostanzialmente altro dalla diversa e più generica funzione di vittima sacrificale che il sacrificio di capra a Brauron sembra avere.

La specificità di questo rituale rispetto all'altro può ulteriormente esser dedotta dalla stretta connessione di questi λόγος mitici a γένη locali diversi: il γένος di Embaros, nelle cui tradizioni c'è il problema delle origini della carica sacerdotale, di cui Embaros (o Baros) è il mitico fondatore. Il λόγος riporta in un tempo antichissimo, in cui Munico, mitico re attico, fonda il tempio di Artemis

---

(24) M. Detienne, *I giardini di Adone*, Torino, 1975, pp. 64-65.
(25) M. Detienne, *op. cit., ibid.*
(26) Analogie comparative a livello etnologico attestano ampiamente travestimenti femminili di capra legati ad ambiti agrari (cf J. G. Frazer, *Il ramo d'oro*, Roma 1925, p. 333-338; V. Ja. Propp, *Feste agrarie russe*, Bari, 1978). Sulla base di ulteriori studi su questo culto, è possibile ipotizzare che la connessione di questo mito con il rito munichio e lo studio dei relativi problemi, possa confermare questa ipotesi.

Munichia, o come in altra fonte, è Embaros stesso, che comunque se ne assicura la carica sacerdotale per sé e per il suo γένος. È evidente che questa storia, divenuta proverbiale, ha alle sue spalle una forte tradizione, legata a Munichia e al γένος di Embaros, il cui γένος peraltro ignoto, su questa tradizione sosteneva la continuità del suo potere. Altrettanto vera è la connessione γένος-culto, per le Brauronie e il γένος dei Filaidi, che assume un valore determinante per la fortuna di questo culto, come altrove ho tentato di mostrare (27).

In conclusione, si può ammettere che la mutuazione di certi elementi di un rito da un altro, possa in un certo tempo essere avvenuta, data la loro sostanziale affinità nell'ambito dello stesso culto in cui giocano ruoli principali il mondo femminile, la comunità, l'equivalenza della κόρη prima delle nozze e dell'orsa feroce e sacra ad Artemis. Ma, sembra indubbio, che la relazione Brauronie-Munichie, che infatti nel λόγος di Embaros non compare, è politica, cioè legata alla πόλις e avviene nel suo ambito superando quelli ben distinti e locali di tipo gentilizio.

CLAUDIA MONTEPAONE

---

(27) C. Montepaone, *art. cit.*

PLANCHES

Fig. 1

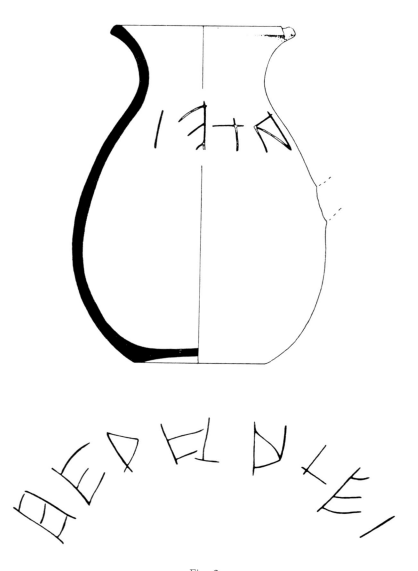

Fig. 2

Fig. 3

Fig. 4

Fig. 5

Fig. 6

FINITO DI STAMPARE NEL GENNAIO DEL MCMLXXX
NELLO STABILIMENTO « ARTE TIPOGRAFICA DI A. R. »
VIA S. BIAGIO DEI LIBRAI - NAPOLI